HERNÁN LAVÍN CERDA

Los tormentos del hijo

A Jorge Santana estos tormentos y el cordial saludo de hernán Lavín Cerda

México, Dic, 77.

jm

Apdo postal 74-321. México 74 DF.

Primera edición, octubre de 1977

Tabasco 106, México 7, D. F.

Cuando uno ve, *ya no hay detalles familiares en el mundo. Todo es nuevo. Nada ha sucedido antes. ¡El mundo es increíble!*

Don Juan, el indio yaqui

Parióme adrede mi madre,
¡ojalá no me pariera!

FRANCISCO DE QUEVEDO

1. TORMENTOS

Aquellos que traían, gritando,
a Dios en las entrañas

El bombardeo

Era muy de noche cuando el hijo de Don Quijote recibió en sueños la visita de la desnucadora que supo derrotar sin bullebulle ni aspavientos al ululante y codicioso Andrés, en medio del llanto de la gata Urra que más bien parecía sufrir bajo el efecto del jugo de totuma. No llores más, minina, ya está bueno, suspiró Marta Gay remeciendo sus caderas como una perra andaluza, y de soslayo observó la nuca de su esposo, el desventurado Richardini, y aún pudo ver la cicatriz que el puñal de Erika dejó en la oreja izquierda del mago.

—Debes irte cuanto antes —dijo Marta Gay, que en los tiempos de Andrés iba rumiando el caldo y sobre él dejaba caer la pimienta, los clavos de olor, la cebollita, el ajo, el ají, y con una gruesa paleta de palo revolvía el concho.

—No te entiendo —soñó José mientras terminaba de poner tapas de cuero a tres pequeños estuches de raulí como ataúdes.

—Sí —dijo ella—: ándate lejos porque ya vienen los pajarracos de fierro, y con sus brazos hizo el aspaviento que hacen los jotes y los tiuques cuando vuelan con las lenguas colgando.

—Ayayay —suspiró José, y sus ojos se le pusieron del color de la sabinilla y fue levantándose, ciego, porque la armadura le pesaba como pesa un condenado.

—¿Y qué hago ahora?

—Concéntrate, aún es tiempo. Y trata de volar.

—¿Estás loca o te mordió la mangosta?

José tenía izquierdizado el pie derecho y también era zurdo de manos. A cincuenta centímetros de su cama de madera quiteña dormía el autorretrato de su enemigo: ojos turcos, lengua cenicienta, nariz de cerdo viejo, dientes de tiburón recién nacido, orejas pálidas, tres patas amarillas y diecisiete cuernos verdes y diecisiete medallas.

—No seas bruto, José: los zorros ya vienen —y corría un olor a hiena listada que no deja visillo virgen.

—Quién sabe, pero ¿hay olor a meados de hurón o es que me engaña la conciencia?

—Son ellos, son ellos —repetía Marta Gay y la gata Urra se revolcaba sobre el tapete azul como un endemoniado.

—¿Qué les pasa? —preguntó José—. ¿Ya les vino el cólera? No se me vayan a morir despacio pero tronando como los enfermos de meningitis.

El hijo de Don Quijote no alcanzó a oír el silbido de alerta de la gata Urra y dijo acomodándose los anteojos:

—¿Cómo se sienten?

—A medio morir saltando —y las cejas de Marta Gay tomaron el intenso tono púrpura.

—Las veo como si estuvieran a punto de incendiarse —murmuró José con su voz anémica.

—El incendiado eres tú, minino, y ya no se te ve la chamusquina por detrás de las orejas y alrededor del cuello, como si te hubiesen herido con un puñal de ataujía.

La gata Urra se puso a silbar, desesperada, como a través de un cuchumbo, y fue cayendo sangre desde el cuello rubio de Richardini con perfume de incienso, hasta que el hijo de Don Quijote vio aparecer entre las nubes una escuadrilla de aviones y agitó el mangual que obtuvo en un matute prodigioso y las bolas de hierro chocaron contra el fuselaje del Hawker Hunter, cuando el cielo temblaba y empezaban a caer las primeras bombas. Adentro, el olor del azufre atómico iba mezclándose con el caldo que Marta Gay removía en un rincón del mundo:

—¡Auxílianos, abuela! —rogó la perdularia y la gata

inició un trotecito como el que se acostumbra durante la noche de San Juan. La gata Urra estaba muerta de miedo: aquí nos van a matar a todos y la abuela Padilha está impotente.

Pasaron algunos minutos y no hubo respuesta y Marta Gay disparó más de siete señales invisibles hacia el espacio, valiéndose del cuchumbo metálico de la gata, hasta que al fin se prendieron varias luces inmensas como cigarros celestes y nunca se supo de qué lugar del universo eran. Mientras tanto, José seguía lanzando mangualazos a ventura y desventura, y sobre su cota se estrellaban las esquirlas de las bombas azules con las iniciales de la aviación norteamericana. Así se vino la noche y el hijo de Don Quijote parecía un zorro en el desierto con su mangual y su armadura y el cuchillito de marfil que le regalaron en China para desinflar las inflamaciones del ombligo, cuando ya todo se vuelve extraño y turbio.

El bombardeo se convirtió en una saturnal pagana y Marta Gay y Andrés y Richardini y Erika y la gata Urra pudieron huir por una puerta de escape y afuera se levantaban las tinieblas y el humo y los incendios. Sólo José estaba agitando su mangual y no había nadie, pero los aviones seguían bombardeando hasta el amanecer. A petición del soldado desconocido se estableció una tregua de noventa minutos que los Hawker Hunter no respetaron, y a las 2:15 de la madrugada, en medio de los lamentos, volvían a caer las bombas.

La abuela Padilha no escuchó el llamado de Marta Gay porque se luchaba como en Sumatra y ni siquiera pudo oír el quejido de la gata parda o el golpe de los badajos de las campanas.

—El Tata Ogum no viene —sollozó Marta Gay— y esto es el acabóse, el pandemónium, el fin del mundo.

Richardini no decía una sola palabra, y quiso huir pero no supo qué hacer con la gata Urra que lo observaba ceremoniosamente. De pronto vuelven los aviones con ese silbido de víbora que viene cayendo sobre el cuello de su presa, y luego el trueno y los relámpagos. Así han pasado los días y el hijo de Don Quijote sigue lanzando su mangual contra el viento, cuando ya nadie lo cree.

Sistema bovino

Casi occiso y arrobado, mocón, a la defensiva adopto un sistema bovino para ocultarme bajo el felpudo verde que resguarda el rostro de abadesa de esta silla —para mí con capacidad de creación como una pianola mecánica— contra la cual yo hundo en Santiago de Chile estos huesos que acaban, mis dos heroicos, en la alacena de la rótula y se atornillan que da gusto, sumamente astillados, con lágrimas en medio de una cuchillería cursi que hace avanzar sus penitencias, imaginad el dolor, a chipe y libre galope.

Lo que resta del espíritu, entre sombras, está siendo arrinconado por estos homos con plumas y picos, de vista gacha y pulpera, listos a seccionarnos, anexarnos, a no darnos línea.

Y a fuerza de picotear y de trozar, yo que estoy adentro de esta caja oscura, compito y rumio estrategias para no quedar manco de lengua. Me aconcho al fin y bajo este carapacho amalgamo conmigo y desaparezco, por ahora, como Dios.

Asuntos varios y sombríos

1

Cuentero del Rey y redactor, palpo y veo sátiras, esguinces, asuntos varios y sombríos dignos de Sade, en este monótono monólogo con que la Lengua de Gobierno, raposa pero bendita pasa al salón y entra en presentaciones mientras nos saliva y nos promueve y nos lame y nos joroba.

Hay inflada contrición en esferas del Partido, comentan magnavoces. Luego se informan porcentajes, actos de confesión, también disculpas. De muy abajo como Zeus, mucho más chico, siento que la vida en lonjas y con flaca proporción de grasa tiene un precio de laque, navaja y simulacro.

El Rey paterno ya no sirve. No hay demócrata forma que acabe al tiempo con este hormigón amerengado. Malos hijos de Heráclito, seguimos de acuerdo en que no hay líder.

2

Se sabe y existe la absoluta seguridad de que ha de estremecerse esta tierra que rodea el fin del mundo, y ahí viene lloviendo fuego del cielo, contraservil, contracomplejo, y a contrapelo incendia lo que pilla, esteriliza, mata, reencarna, y que se sepa que no hay Cristo ni Madre Redentora ni fluido vaginal ni rayo de Eva en trance ni Fitón con su Consejo de Hechiceros y Machis mediúmnicas que sea capaz de salvarnos este pellejo macaco, adiposo, ramero, lamefausto.

Ahora la señorita deja el mondadientes

Me oculto entre cosquillas y sospechas: la ratita patalea con el vestigio del rito de los otorrinos en su vientre. ¡Auxilio! Yo la siento venir con su cola de mandril, la lenidad de su carácter y su vista rala.

Me levanto de la cama y enciendo el interruptor.

Nadie viene. Aun cuando juraría que me descubro entre viejas vendiendo panes de huevo, yo entre occisas —algunas qué primor— que advienen a este hospital privado en sillas de ruedas que ruedan hacia atrás, impías y pías, arrobadas sus tibias y peronés en demallables medias de montar.

Presiono y apago la luz. No hay nadie. Retiro lo que he jurado. Nadie viene. Huele a benjuí.

Ahora la señorita abandona el mondadientes sobre el piso. Su canino le reluce, huele a mentholatum: me toma los datos, despacio, sin sangre. Así me ficha. Después ramonea conmigo y se ríe, pero es inútil.

La tumba

No profanes la tumba del hijo de Don Quijote: pero arpía fue la vieja Teresa que desoyó el llamado de David y se vino saltando y orinando con su sexo agreste y sus ligas egregias, el casco de acero, la cacerola turbia y la vejiga como una cachiporra rota: parece una meona torturante y por debajo del casco de infantería le van saliendo aquellos pelos fluviales que huelen a automóvil, hasta cubrir las uñas marchitas de su pie microscópico, el izquierdo, y luego el absurdo.

—Maldigo a los que aún tienen la desvergüenza de proferir salmos y otros cánticos obscenos —y maleva se destrenza y sus afeites resbalan desde los ojos a la barbilla, y caen a tierra en medio del sudor.

La tumba se oxida y suben lamentos huracanados, solitarios, como el de las Cihuateteo que han muerto de tanto parir y braman en el aire, noche a noche, acompañando al sol.

Allí abajo hay un hombre como debió ser Don Alberto Dios González o Don Carlos Díaz Loyola, el oriundo, el poeta, allá en su Licantén o en el Lircay vecino, adornado de huevazos y camarones de Abril, y alimentándose con caldo de pato criado con relámpagos y el vino caliente que bebíamos cuando estábamos solteros.

La urna es una caja de madera de alcanfor y el hijo de Don Quijote está tendido entre niños. Victoria llora de rodillas y él se ha vuelto turbulento, tiene el corazón partido a latigazos, y el cinturón cuelga del arbotante cuando los avestruces corren bajo los álamos del cementerio y sin saber por qué huyen a saltos, hacen un túnel con sus ojos y se pierden.

Testigo

Estas olas, frías de culpa, tramaron la muerte del Lobo Santísimo. Y aquí yo las veo, deicidas, reflejando su palidez sobre esta caleta en declive, roja como el linóleum de un anfiteatro, y reventando secas, capciosas, mar adentro.

A la hija de Marat

Bonapartista ese arpón, fiero y burgués, con que te envenenan y te llagan, besándote, hija legítima de Marat, y a cariñitos te trozan, te lauran, te absuelven (¡mentira!), te invierten, te rematan, ofertan contigo y juegan tu fe popular.

Y hoy, en el instante preciso, alzan los egos la soga asesina y hasta nunca, violenta, te vas en sangre pero quedas.

La vasija de Tenayuca

Vi una lucha a muerte cuando me puse a mirar hacia el fondo de la vasija de Tenayuca, y arriba el cielo con sus tres círculos negros.

Las fuerzas contrarias se fundían, se anulaban: fue barro sobre barro, y las flechas curvándose y la curva en la sangre.

Entonces comprendí que la lucha de clases tuvo su origen en los días del animal de hábitos nocturnos.

Ponte a mirar por dentro la vasija de Tenayuca y sus tres infiernos. Confío que me darás la razón.

El teponaztli

Como la más nonata de las piedras del infierno, el Teponaztli tiene hendidura colosal, cuello falsamente fatídico, rizos como orejas de niño, patas dobles, colmillo loco, ojos de prevaricador, de poeta, de caballero audaz, y cola de coyote dormido en el límite.

Quise golpearte como a la más nonata de las piedras, pero el grito fue de caoba, como tu sangre.

De la zoogonia a la zoocracia*

Han de saber que en el principio hubo un atortugamiento colectivo, y se registra que mujeres barbonas se resistían a descubrir los hombros y los senos y ratoneaban como dulcineas descalibradas, hormigueando de hambre con sus carapachos a cuestas, y musgosas.

*Evolución de los seres vivos hasta llegar al hombre, en la Cosmogonía del legendario filósofo fenicio Sanjuniaton (1500 años a. de C.)

De costillares de estas bestias que fueron exiliando su pellejo, y de arrebatos y mordiscos y cornadas, azuzados por bichos y precursoras de Afrodita, en ceremonias lésbicas y dionisiacas fuimos cambiando pellejo por vello, cola por ira, pavor por faber, y el carapacho de Nuestra Madre se nos desprendió del lomo con dulzura, como si Ceres hubiese ordenado amablemente nuestro despellejamiento.

Así llegamos a los tiempos modernos, en fila india, pisándonos primero el rabo y después el pánico, y dimos vida a dioses que ceremoniaron sobre la bondad de la esclavitud ¡lobunos!, y poco a poco la técnica nos hizo pelechar envidias y cruzamos de Este a Oeste instaurando la dominación y el exterminio, y a quien se opuso a nuestra señorialidad lo enviamos sin regreso al fondo de la tierra, y opulentos y deseosos y gozosos mandamos a matar ¡oh gula por decreto!, y en eso estamos.

El chino

1

Cardiaco de carácter y urbano, el Chino espera en este consultorio blanqueado como el sepulcro, que el vidente de turno dictamine la salvación o muerte de su médula.

El Chino recurre a la mediumnidad y se apequena:

—No se puede vivir toda una somnolencia tamborileando sobre un mismo cráneo.

La gente va por las calles y no llega: se salvajizan, se retuercen en tics, hieden como zorrinos. Es la médula que se pudre y vuelve a flote, el carapacho y los crines que se atomizan, las animitas mocosas que se remojan en Dios besando al Diablo.

No hay Homo que pulverice y purifique. No se ve, por ahora, se adivina.

2

El Chino se mira en el espejo y dice:

—Pese a que me burocratizan la pupila, esa odiosa, esa gozosa, me resta una ganga de capacidad para luchar hasta el último y resistir el golpeteo de tu muslazo alienatorio, máculo, elefantiásico, que es el ritmo de este urbanismo apolvillado, panecillo de cada día que me pincha esto que dicen alma: la matriarcal y dolorosa, la callosa gallega que me vino por conquista a fuerza de espadas coloniales fileteándonos la carne, traumatizándonos, y no hay perdón que valga ni hay obleas ni hay hostia y juro que yo no lo daré, yo no uncio ni aceito a nadie que se arrodille con arrepentimientos de Magdalena: ¡ni arrepentidos ni postreros! Porque hay ese llorar y ese llorar sobre esta urna que vuela y retrocede y nos da la espalda, cangreja, y llorando nos brotan patitas y se nos aconcha el espinazo y comenzamos a culebrear y a pedir perdón, palpitando como cívicos.

La pirámide de los degollados

A Cecilia Vicuña, en Londres

Comprendo la saudade tuya por este sol azteca que ahora quema como en mayo y junio y julio, y luego se vuelve ingenuo como los totonacas, precursores en la fundación del humor universal que aprendieron a reírse de sí mismos, en aquellos días tumultuosos en que reírse de uno mismo fue como hacer abandono del mundo y empezar a subir las escalinatas de la Pirámide de los Degollados, por donde se llega al pedernal del sacrificio después de un viaje turbulento.

Sí, Cecilia, el reloj dice que es la una de la mañana en un café de Finchley Road, y te veo haciendo pactos con químicos clandestinos que conocen el secreto de las tarjetas locas y las llamadas telefónicas.

(Entonces voy hacia lo más profundo de la fuente del Teatro Municipal y dudo del gesto sagrado con que tomo mi maletín de cuero, pero el agua ya me ha cubierto las rodillas y estoy vestido de gris.)

Tú pintas el mural de la victoria contra los nazis. Y mientras Claudio se rasca la cabeza en medio de abogados hindúes e ingleses tarúpidos, por aquí se siente venir una música en llamas que cae del lomo de los caballos.

Qué amarillo es pasarse la vida en la isla de Inglaterra que ya ingresó a la edad del climaterio y aún no quiere convencerse. O al revés, porque es peor todavía cuando el himen vuelve a cerrarse por una impotencia colectiva. Pero en fin: todo ciclo tiene su apertura y también su cerradura.

No dejes de escribirme.

La navaja asesina

Esta tarde la navaja se hunde y se pierde como una gubia loca por detrás de las orejas del hijo de Don Quijote, de cuya mística nació el humor laico, y el peluquero esparce esencias rosas y talcos rubios que acaban en una inmensa humareda.

Virgilio se llama el peluquero, y unos perfumes ácidos y genitales como de guayaba del sur, profundos, fríos, van impregnándolo todo. Virgilio estremece la hoja de afeitar y remueve los cables de la máquina eléctrica como quien se arrodilla a profanar escombros. Un remolino va subiendo entre el polvo de la humareda y hierve el agua como hervían los baños de la leche termal en las noches de Trifena, la meretriz que apacigua su lujuria, y el triste Gitón la observa ya muy débil y se le caen sus barbas de oro.

Después de la caída, el hijo de Don Quijote ha perdido su sonrisa de guerrero olmeca, cuando el ecumenismo de su espada se viene a tierra entre pelitos del cuello y de la barba y furiosos rizos muy largos, y ese tobillo suyo que le sangra por una estrechez de la armadura compuesta en la fragua de un armador errado.

Ahora no podemos suspirar ni respirar. Arriba de la silla mecánica y frente a los espejos, el hijo de Don Quijote llora lágrimas confusas y Virgilio no sabe si son de dolor o de candor. Candidez la del peluquero que le dice perdóneme Don Alonso, pero los oficios de la peluquería ofrecen riesgos incalculables cuando deseamos hacer de ella un arte.

Sube entonces un hielo de colonias y lavandas y unas toallas muy frescas como cuando se cortan lirios por el tallo. Pero la paz dura dos segundos y otra vez vuelven los humos y los polvos y todo está oscurísimo, la navaja, la toalla amarilla, el espejo, la tijera con cola de toro marino, y los cabellos del hijo de Don Alonso que mira a Virgilio pidiéndole clemencia. Sin embargo, el peluquero se ha vuelto animal de hábitos nocturnos y sahumador de resinas aromáticas, mientras el hijo de Don Quijote está tan pálido como una mejilla chichimeca labrada con travertino de Tula, y de rodillas viene desde el fondo del Mural de Bonampak y solloza como un conejo encerrado en una caja de alcanfor cubierta de piel, con clavazón y esquineros de plata.

Sensual, rupestre, venatorio, Virgilio oye los lamentos y le tapa los ojos con las placas de obsidiana y las tres conchas sobre la boca para que ya no te quejes y no llores en vano.

Un día feliz

A la sombra de una ceiba en flor, el hijo de Don Quijote siente cómo la Josefina le va friendo el filete de huachinango con un poquito de aceite y mucho jugo de limón sureño: se chupa los dedos todavía vírgenes, se le hace agua la boca inocente y pendenciera, y con ojos de perro azul vuelve a recordar los versos burreros de Celedonio Flores, el recitador que contaba cuentos criollos en la Hora Geniol de Radio Splendid, donde aún actúa Carlos Gardel:

Yo te tengo relojeados los mil y cincuenta y nueve.
Sé que vas a la distancia sin sentir el handicap.
Ya corrés en el derecho de la pista de la vida,
doblaste el último codo y ves el disco final.
En el libro de tu récord hay en blanco una partida...
El amor no te dio calce, inexorable y fatal.

José oye el rumor del pescado friéndose en un mar de limones furibundos como los ácidos de la muerte, y siente que el deseo le sube por dientes y muelas y se queda con su boca áspera como el hocico de un áspid, mientras vuelve la voz del negro Celedonio:

El camino de una mina, que me llevaba doblado
en malicia y experiencia, me sacó de perdedor...
Pero cuando estuve en peso y a la monta acostumbrado
¡Que te bata la percanta el juego que se le dio!

Ya el huachinango está listo y el caballero de la figura decaída se va desprendiendo de su yelmo como quien se quita el calcetín habitual. Afuera llueven los truenos, y los rayos que caen sobre las alcantarillas parecen niños envueltos o conejos del monte con el temblor oculto.

La Josefina abre sus muslos costeños para iniciar el rito del honor y el deshonor, junto al jugo loco de los fritos perpetuos. Los panes siguen durmiendo sobre las brasas como tortugas bayas y el caldero de la sopa matutina ya ha dejado de resoplar, porque llegó el momento del connubio en reposo, donde ella irá comiéndose al hijo de Don Quijote de un modo pastoril.

El espíritu del filete marino se extendió por la habitación azul con cielo de totora, y el aire fue tomando una espesura inesperada y hasta la ceiba empezó a ponerse malva como bajo el efecto de la asfixia. Fue cuando a José se le volvieron los ojos del color del abismo, y antes de que le viniera la muerte sus labios plagiaron con voz débil y dolorida el testamento de Elías Castelnuovo:

Decir que amo la vida es poco. Siento pasión, locura por ella. Cada día que vivo lo festejo en mi corazón como si fuese el primero de mi existencia. Lo único que puede matar en mí este amor que siento por la vida, es la muerte.

Los relámpagos dejaron de incendiar las nubes, y sobre la alfombra invisible de la pieza se escurriría el aceite y la sangre hirviendo de Josefina y el espinazo blanco en forma de tinieblas y tres pepitas de limón, al fondo de esta cabaña que tiembla junto al mar.

El incendio de los libros sagrados

El hijo de Don Quijote ya había perdido la calma y se

estaba volviendo sombrío como un reptil volador, cuando descubrió la *Historia de los indios de la Nueva España,* de Fray Toribio Benavente o Motolinía, donde nos hablan del árbol o cardo llamado maguey, y de muchas cosas que de él se hacen, así de comer, como de beber, calzar y vestir, y de sus propiedades.

A un paso de la locura, feliz, el joven José leyó en voz alta las primeras páginas del capítulo decimonono que dice que del metl se hace muy buen papel y el pliego es tan grande como dos pliegos del nuestro; y de esto se hace mucho en Tlaxcallan, que corre por gran parte de la Nueva España. Otros árboles hay de que se hace en tierra caliente, y de estos se solía gastar gran cantidad: el árbol y el papel se llama amatl, y de este nombre llaman a las cartas, y a los libros y al papel amate, aunque el libro su nombre se tiene. En este metl o maguey hacia la raíz se crían unos gusanos blanquecinos, tan gruesos como un cañón de una avutarda y tan largos como medio dedo, los cuales tostados y con sal son muy buenos de comer; yo los he comido muchas veces en días de ayuno a falta de peces. Con el vino de este metl se hacen muy buenas cernadas para los caballos, y es más fuerte y más cálido y más apropiado para esto que no el vino que los españoles hacen de uva. En las pencas u hojas de este maguey hallan los caminantes agua, porque como tiene muchas pencas y cada una como he dicho tiene vara y media de largo, y cuando llueve, algunas de ellas retienen en sí el agua, lo cual como ya los caminantes lo sepan y tengan experiencia de ello, vanlo a buscar, y muchas veces les es mucha consolación.

Y así estaba leyendo y releyendo y daba unos saltos y unos vuelos estrepitosos de turpial contento por las bullas de la primavera, cuando se quedó absorto con los ojos como la piel de las garduñas y de rodillas fue destapando el baúl verde que le había regalado la abuela Padilha durante las fiestas de la Macumba Mayor.

José estuvo a punto de perder el juicio por la alegría del descubrimiento del papel para libros, y se volvió primitivo como el cuerpo de un mamut bajo los hielos de Alaska cuando del fondo del baúl extrajo unas hojas escritas por Fray Francisco Xavier Clavijero donde se describen los primeros colores del mundo y se dice que los hermosísimos colores que empleaban los indios en sus pinturas y en sus tintes se formaban con maderas, con hojas y con flores de muchas plantas y con diversas producciones minerales. Para el blanco se servían de la piedra quimaltizatl, que después de calcinada se parece mucho al yeso fino; o de la tierra mineral tizatlalli, que después de amasada como el barro, y reducida a bolas, es semejante a la sustancia llamada comúnmente en Europa blanco de España. Hacían el negro de otra tierra mineral y fétida, a la que por esta razón daban el nombre de tlalihixao, o del hollín del ocotl, cierta clase de pino oloroso, recogiendo su humo en vasijas de tierra; el azul turquí y el celeste, con la flor de matlalxihuitl, y del xiuhquilipitzahuac, que es la planta del añil, aunque el modo de prepararla entonces se diferenciaba mucho del moderno. Ponían las hojas de la planta, una a una, en vasijas de agua caliente, o más bien tibia, y después de haberlas meneado con una pala, pasaban el agua teñida a unas orzas o peroles, donde las dejaban reposar, hasta que se precipitaban al fondo las partes sólidas de la tintura, y entonces vaciaban el agua poco a poco. Este sedimento se secaba al sol, y después se ponía entre dos platos al fuego, para que se endureciese. Tenían los mexicanos otra planta del mismo nombre, de la que sacaban el azul, pero de inferior calidad. Para el rojo se servían de la semilla del axiote, que los franceses llaman rocou, cocida en agua, para el morado y el púrpura, de la cochinilla. El amarillo se hacía con tecozahuitl, o sea ocre, y con el xochipalli, planta cuyas hojas se parecen a las de artemisa. Las hermosas flores de la misma planta, cocidas con agua de nitro, les suministraban un bello color de naranja. Como se servían del nitro para aquel color, para otros empleaban el alumbre. Después de haber macerado y desleído en agua la tierra aluminosa llamada tlaxocotl, la cocían al fuego en vasijas de tierra, sacaban por destilación el alumbre puro, blanco y diáfano, y antes de que se endureciese de un todo, lo hacían pedazos para venderlo más cómodamente en el mercado. Para dar más consistencia a los colores, los mezclaban con el jugo glutinoso del tzauhtli y con el excelente aceite del ohía.

Así se puso rojo y daba unas bramadas auspiciosas porque sin quererlo había descubierto el amatl y los colores del principio del mundo. Entonces se sumergió en el descubrimiento y era igual que ir bajando al infinito, hasta que desde el fondo oyó que alguien le decía:

—Detente, huye del mal, quema las escrituras.

José tuvo náuseas y se volvió sombrío como un reptil, cuando se desataron ruidos de tambora nocturna y apareció el capitán con el hábito de Fray Diego de Landa junto a diez soldados. La gasolina ardía sobre los libros y el cielo fue cubriéndose de humo y se oyeron los primeros lamentos, y el capitán González que dice que porque no tenían cosa en que no hubiese superstición y falsedades del demonio, se los quemamos todos, lo cual sintieron a maravilla y les dio mucha pena.

La mariposa

Vuelas enloquecida desde el fondo del ataúd donde aún se oculta la nieta moribunda de Don Quijote, y cae la lluvia como en el día del Juicio Final, con rosas pudriéndose sobre las tumbas. Arriba tiemblan los pájaros degollados entre las hojas de los álamos y tu vuelo es el de la *Armandia lidderdalei* con una cruz de oro que te cubre la frente. Eres la mariposa reina volando por encima de las plantaciones de maíz, cuando aún no llegaba el Katún 11 Ahau. Entonces fuiste la tortuga aviadora de los cakchiqueles, y hoy vuelves a decirnos que la muerte es una invención de la piratería, porque la nieta se está muriendo de la risa y huye del cementerio dando los primeros pánicos de la resurrección.

El último candombe

Matrera va la Rana bailando el candombe con sangría en los ojos y yira yira la gil, la piruja, la minerva, la de ojeras de hojalata, la tenebrosa y turra, y se desliza y echa rayos y relámpagos entre las cuerdas de la guitarra y la cajita del violín. La viola tiene miedo, truena la tumbadora y el colibrí del timbal, y la Rana esgrime un cuchillo fino desde el fondo de su liga maleva que le amarra las medias, y adopta un rictus de sapo militar cuando alza el codo más arriba de la boca y pretende darnos el tajo póstumo, pero se apaga la luz y la cuchillada se pierde en la sombra y la candombería da un grito de placer y los musicantes se abalanzan sobre la Rana y a cada golpe de música ella no sabe cómo se hace, le falta el aire, y así la van agarrando por la cintura y por encima del coxis le pegan furiosos con los arcos del violín y las cuerdas rotas, hasta que llega Mandinga botando fuegos espesos que son como las plumas del Ave del Paraíso y la saca a bailar en los momentos en que íbamos a lincharla: la Rana le entrega sus cuatro fulgores y se va dibujando figuras sobre el suelo encerado: primero un cinco sombrío y un seis vaporoso y un siete siniestro y un ocho y al fin un nueve de maravillas como una fuga, y el candombe va a reventar, ya estallan las rodillas de la Rana metiéndose en medio del instinto hasta que el propio Mandinga de cuernos jóvenes se ha vuelto tímido al sentir cómo sus partes torpes quedan en contacto con las torpezas de la Rana de ojos como tabacos, y de improviso recuerda las recomendaciones del Reverendo Carrascosa sobre el grave peligro del baile agarrado, pero ya es un poco tarde porque la matufia se le sube encima y le da tormentos por detrás del cuello con su uña filuda y venenosa, candombeando de lado, y él quiere hacer la cruz y sin embargo no puede, todavía estamos en penumbras, vivimos presos y no podemos salir, tiembla la tumbadora, sufre el timbal, y sube el incienso ibérico que lleva el olor de los huesos del geógrafo Strábon, y Mandinga se ha puesto a llorar y se pega a su tango como al Arca de Noé, pero la Rana lo arrastra hacia el centro de la pista y allí, aprovechándose de la candombería moribunda y la tanguería curda, le da el uñazo final y del cuello de Mandinga cae sangre de pajaritos que vuela y se va sobre el ángulo de la sala y se detiene junto al espejo ovalado, y sólo entonces vuelve la luz.

El ahorcado

Para mí fuiste la perpetua de flores encarnadas, la amarantina, la amarilis, la púrpura total, mi Covadonga, le dice el hijo de Don Quijote a María Magdalena bajo la lluvia, y ella no sabe cómo responder y piensa que todos fuimos y seremos culpables porque te dejamos morir como a un recién nacido con los ojos abiertos, desangrándote desde una correa perdularia.

Ésta es la verdad, dice María, y del sur vienen volando los trogloditas de plumas grises que desatan un temblor de matracas agudas, una totuma con alas, con ruido, un kultrún fiero, un teponaztli como cien calaveras chocando entre sí, y más que fin de mundo esto parece el ocaso de una saturnal desbocada.

—Hay furia en el cielo como de garduñas hambrientas —dice María Magdalena—. Y los ahuehuetes, tumbándose, son búfalos nocturnos y salvajes.

El hijo de Don Quijote se sienta semidesnudo, triste, bonzo de alma sobre una camilla blanca que tiembla como un balandro. Y frugal y liberal como Viriato, observa a su arrepentida Covadonga y le pide que se vaya tranquila siguiendo el camino de las begonias, porque ya no es tiempo de sufrir.

—Cúbranse con cascos tejidos de nervios —y su voz es una pluma de ganga o la piel de un rebeco—. No olviden los sacrificios y examinen las vísceras de los dolientes sin separarlas del cuerpo, observen las venas del pecho y adivínenlas palpando, amputen las manos derechas de los cautivos, sólo en el sueño, y conságrenlas a los dioses. Coman carne de cabrones y pan hecho con harina de bellotas, hagan numerosas hecatombes y, como diría Píndaro, inmolen todo un centenar y acuéstense a dormir en el polvo y beban mucha agua y lleven el pelo impunemente largo como un látigo.

María Magdalena no supo qué responder. Abandonó la habitación de la clínica y se fue corriendo hacia el túnel, escandalosa y confundida.

El gran conjuro

Había un olor a temperamento gitano en el centro de la sala, cuando Pánfila dio tres saltos de ganga y llegó a los pies de la abuela Padilha que agitaba las plumas del gallo agónico pegadas a sus caderas, y de sus mamas de zurrona triste caía el sudor gordo y ácido y empezaba a nacer un pequeño río donde sigue bañándose el Chino con su lomo de tatú negro y el pico acalambrado, pero él no reconoce en Pánfila a la nieta de Don Quijote y no quiere descubrir que ella tiene los mismos ojos de Hortensia, su mujer que todavía sufre de tanto vivir viuda, y ella confiesa que por las noches se le calienta la sangre corriendo como un salvaje detrás de Ogum y esperando que una vez más tú me recorras de muslo a nalga, de boca a nuca, de espinazo a pezón.

Recuerdo aquel jueves de 1970 con jugo de papayas que avanzaba sobre el suelo, entre plumas de cóndor incendiándose y cuatro pellejos de gamuza diseminados por las tres esquinas, y además uno en el vacío. Sentía yo las garras de Ogum en grupa viva, del cuello a la corva y de la corva al huesito del tormento, cuando tú te fuiste apareciendo aquí en la pieza, difuso, pecaminoso, puro espíritu con olor a montura, a pasto joven, a queso con ajo.

—Necesito vengarme de las tres brujas y quiero que me ayudes —dijo Pánfila besando la punta del chal escarlata de la abuela Padilha, que hace saltar de un dedo al otro cualquier cuervo de piedra del tamaño de una uña. La abuela frunce y abre su boca como pidiendo perdón y da unos chillidos roncos y agudos, unos tonos de oso que silba o ave trepadora.

—¿Quiénes son? —preguntó la abuela, y de un modo varonil se le cae la chasquilla sobre el ojo izquierdo y se vuelve furiosa porque sólo puede ver el lado zurdo de la nieta de Don Quijote.

—Teruca la fatal —dijo Pánfila entre suspiros y se levantó el humo como de caldo de barbacoa en el momento en que Pánfila miró con sus ojos beodos, y sigue mirando el río que avanza desde la recámara al vestíbulo y del vestíbulo a la salita de las plegarias confusas que se oculta más allá de la pieza, y donde la abuela Padilha ejecuta sus epifanías oriundas del sur de Mbandaka y distribuye estampas azules pintadas al fuego, con los símbolos del sol sodomita y la luna sobre la piel de un ternero muerto al nacer.

Fui a decirle que también Lula y Maribú la Tenebrosa, cuando ella me adivinó el espíritu y dijo silencio, no digas nada porque se nos cae encima la bruja Lula con sus orines y sus suplicios y sus pellejos colgándole del cuello de serpentaria y los ovarios despampanantes. Alcancé a fruncir mis labios y mis ojos y lo primero que vino fue el viento traidor arrastrándose por las mejillas, y me sentí con un tremebundo pálpito de orejas, ya loca, y todo se hizo con brumas como si yo y la abuela Padilha nos fuéramos cayendo hacia el fondo de un gran pantano.

—Tengo unos inmensos vértigos de culebra —dije.

—Sí —dijo la abuela—. Es lo que siempre sucede.

—Me siento desfallecer y veo que se me va la sangre.

—Bendita tú que te renuevas de sangre porque no has sido una matrera. Nunca te aferres a la maldad como las dulcamaras.

—Ya casi no te escucho, abuela, y los ojos se me engarruñan.

—El engolondrinamiento es normal, hija. Acomódate aquí, ponte muelle —y le extendió un pisito de tres patas, piso de conejo, y un cojín de felpa verde—. Ahora te daré el arrullo de las golondrinas que mantienen vivo el sueño del Enano de Velázquez. Abaluaié, abaluaié, suspiró la negra mocosa a través de un cornetín de aluminio: abalú, abalú, pelo, pé, pelo pé, y empezó a dar brincos de gamo enfermo porque la piel se le puso irreconocible y volcánica, y los labios rojos como el buche de los totochilos: se volvió de loica el ambiente y el color se fue por encima de la alfombra y se hizo un río abundante donde el Chino sigue bañándose con su lomo de tatú negro y el pico fofo y tiritón.

—¡Tengo el tormento adentro! —dijo la abuela Padilha y su voz tronó como pico de gallo joven—: ¿Quieres pasarme el jarro con el agua de jamaica y los cubos de hielo picado?

Pánfila se fue arrastrando hacia la quinta esquina de la pieza y en medio del vapor sangriento pudo agarrar al búho de porcelana por el gollete.

—Aquí lo tienes —dijo desmayándose.

La abuela tomó dos sorbos cortos y uno muy largo:

—No sé —pensó—, pero siento que algo como un pesario nos persigue y ahora nos va subiendo por las tibias.

—Sí —dijo Pánfila con el labio agónico—: yo creo que estamos siendo dominadas por las brujas que mataron a mi padre y a mi abuelo. Son las tontas que todavía se sienten dueñas del infinito, y en especial la Teruca y sus batiburrillos y sus rollos que truenan como platillos dobles con pedal forrado en goma.

—¡Déjamelas, déjamelas! —amenazó la negra Padilha— y no te vuelvas recoleta porque tu panfilismo podría paralizarnos junto al gozoso Ogum. Deja que se enfríe la felpa verde y ayúdame a fortalecer la estrategia del éxito.

Brillante, desnudo y gris, el Chino cruzó la habitación en diagonal y regresó vestido con un ambo de cotelé turquesa y la corbata de bermellón llena de sombras: luego flexionó tres veces las rodillas como en el rito del arrepentimiento y no abrió sus labios. Ni Pánfila ni la abuela lo vieron pasar, y sólo queda esta música.

—Alguien está soplando las sonajas. ¿Lo oyes?

—Sí —dice Pánfila—. Como solloza en las noches el tecolote blanco.

—¿Tú lo has visto?

—Sí —dice Pánfila—. De noche brilla como un azulejo.

La abuela Padilha se tambalea y cuánto daría por un sorbete de albaricoque. Algo me quema por aquí, y se llevó la mano del anillo de piedra desde la base del cuello hasta el mentón de ave: estoy al borde del soponcio, me tirita el futuro. A juzgar por el ruido de plumas de cóndor derrumbándose del ropero, Pánfila adivinó los deseos y las furias de la abuela, y de un salto sacó del baúl oculto los damascos colorados que se puso a exprimir hasta que el jugo fue deslizándose por el oriente de la sala y llegó a los pies de la negra Padilha, y ella se vino de pechos como una sonámbula sobre la pasta frutal cubierta de fibras y pellejitos. Después de cinco tragos, la abuela tenía de pájaro carbonero su cabeza y los senos, el esternón y la rabadilla: cenicienta de ojos, el verde y el negro la devoraban, y también lo profundo y bermejo.

—¡Madre mía de Talpa! —aulló la negra Padilha—. Sálvame y púrgame el interior que lo llevo lleno de brumas y fuegos sofocantes y cosas azules que no sé de dónde vienen. Líbrame como libraste a Rosalía Membrila cuando le iba naciendo el tumor de frío por encima de las ingles.

El Chino volvió a pasar en puntillas, embarnecido y desnudo a lo futre, y corría un tufo a alquequenjes durante el desnudamiento que atiborró la sala de un sopor de estío y muchísima humedad. Perruno entonces, el Chino levantaba su pata izquierda cubierta de selenosis y de repente hizo el amago de volverse diurético. Y luego, al cumplir su palabra, toda la habitación fue plagándose de una fetidez dulzona como de azúcar tostada en las brasas, pero ni Pánfila ni la abuela Padilha se dieron cuenta, absortas como están en la nostalgia de recuperar el terreno perdido.

—¡Ay madre mía de Talpa! —volvió a gritar la abuela en un quejido largo. Y su voz se le volvió de loro y ya iba aflautándose, peligrosa, cuando Pánfila vino en sí y le dijo:

—¿Le duele algo o sólo le tiembla la parte trasera del espíritu?

—No sé, niña. No blasfemes y cuídate de volverte impía.

—Cállese, abuela, porque a punta de tantos temblores se le puede ir cayendo la voz y la piel hasta terminar del color del agua de bija.

—Bueno ¿y qué? Que si así ha de ser que así sea —dijo la negra Padilha levantando sus rodillas con frenesí, como dándole una patada al cielo.

—Tenga cuidado abuela: mire que estoy adivinando el porvenir en las líneas del rostro —dijo Pánfila en un arrebato de metoposcopia, muy blanca de ojos y transparente de orejas—. La situación puede volverse muy complicada: por eso suéltese de nervios y deje tranquilo el tridente y bébase todito el sorbete de albaricoques con el hielo hecho polvo, para calmarse por debajo y por dentro.

—¿Qué estás diciendo, cochina, qué sugieres?

Y Pánfila sacó de su corpiño los retratos en sepia y filetes dorados:

—Aquí están las tres brujas posando con los tobillos locos y las pestañas sangrientas y la nariz y el odio.

—¿Quién tomó la fotografía? —dijo la abuela Padilha, pudibunda, mordiéndose los labios y haciendo con ellos un cornetín extremadamente sugestivo.

—Ceferino Piriz, el mismo que propuso La Gran Fórmula para dividir la tierra en 21 zonas de color, y distribuir los armamentos de acuerdo con la superficie y el número de habitantes.

—Ahhh —suspiró la abuela—: el uruguayo de la luz de la paz del mundo.

—Pues quién sabe —dijo Pánfila subiendo el pulgar izquierdo hasta la boca—. Dizque a lo mejor.

—¡No hables como hablan los del antiguo imperio! —protestó la negra Padilha, y con abandono la fue mirando.

—Por Dios, abuela: ¿por qué me mira con esos ojos de sable ancho? Yo no merezco el golpe de una chafarotada sino su apoyo y su ayuda.

El Chino venía desnudo con sus rodillas cubiertas bajo los parches de hule.

—Bueno —dijo la abuela y se alisó los flecos de la enagua celeste—. Pero antes necesito convocar a toda la macumbería. ¿A ver? Pásame las fotos.

Pánfila se abrió el corpiño bordado, se tiñó de azul como el perro bajo la luna llena, y se puso vómica al sacar tres nuevas fotografías donde aparece Teruca con cuchillo carnicero y culo de garduña, Maribú con ojos de zorra enferma, y Lula borboritante y cucufata. De babirusa, de jabalí, de morsa se le fue convirtiendo el hocico a la negra Padilha cuando Pánfila le extendió los retratos.

—¡Ogum mío, madre mía de Talpa, qué asquerosas culebras! —gritó la abuela, y el Chino que seguía paseándose desnudo por la pieza de totora y adobes, vio cómo le iban saliendo dos cuernos blancos tan resistentes como los de un antílope africano de la familia cudú.

Y Pánfila, ya sin el peso de las fotografías, dio el salto giratorio en el aire como muestra de agradecimiento por la decisión de la abuela Padilha.

—¿Qué te sucede, hija —dijo la negra—: por qué tienes los ojos idos como los voladores de Papantla?

La nieta de Don Quijote parecía una borracha girando sobre un mismo círculo, como bajo la astuta mirada de Espiridión Altamirano Luca, el chamán cora de Nayarit. Pandemónium, pandemónium, fue diciendo ella, ceremoniosa, y le subía el ritmo rumbero por los huesos y las venas de atrás. Pilo observa a Pánfila y la niña le pide en idioma telepático que la ayude, y él dice que sí con sus ojos y desde muy temprano las campanas llaman a los muertos.

—A ti mi difunto Tatita Quijote —convoca Espiridión bajo los árboles—, a ti mi difunta Nanita, a nuestros Abuelos difuntos, a nuestras Abuelas difuntas, a todos ustedes, nuestros antepasados, en nombre del pueblo, en nombre de nosotros los que todavía estamos vivos, yo quiero decirles una palabra. ¡Ay, no podemos verlos, pero sabemos que ustedes sí pueden vernos! Aquí les rogamos, aquí les suplicamos que estén con nosotros en estos días santos. Ya le hemos pedido permiso a San Antonio para que los deje salir de Muchitá, el lugar donde duermen y donde algún día nos reuniremos con ustedes y estaremos juntos: he ahí el destino de todo lo que vive sobre la tierra.

—Pues quién sabe —suspira Pánfila—: a lo mejor ha de ser por el bismuto que me dieron para fotografiarme el interior.

—¿Ahí donde va el espíritu?

—Eso dicen.

—Ahh, está bien —dijo la abuela rascándose la nariz con su dedo cordial, y quiso preguntar algo más sobre el bismuto cuando la habitación se redujo hasta convertirse en un chiribil para chinchillas: un búcaro de pórfido se desplomó entre papeles con dibujos florales y el caballito de jade fue la sonaja por donde canta el viento, y así estaba cantando cuando todos los Exus de la macumba desataron la cumbiamba y estos galopes sincopados, trotes acampanados, y luego el llanto contenido como en las chirimías populares.

El ángel ambiguo se derrumbó en el centro de la pista y Pánfila era una chinchilasa en la mitad del baile: la cumbiamba tomó aires de candombe y el arrabal se fue en círculos, cuando Ludovico vino a montar sobre la nieta de Don Quijote y la niña lo descubrió y le hizo una finta suave de caderas, y el ángel se cayó del caballo botando espuma por la boca. Entonces Pánfila aprovechó el descuido para besarlo durante el tiempo de la caída.

—¡Cuidado con las alas! —grita la abuela y Ludovico estrella los hombros, se parte la frente, y la nieta no lo ve cuando saca su corvo por debajo del ala derecha, pero el Chino que ha vuelto bailando el mocambo desnudo, da un alarido profundo:

—¡A tierra, a tierra! —y su meñique apunta sobre las alas del ángel cuando éste sufre un desdoblamiento y desde el fondo aparece la bruja Teruca con su vejiga soplando, los pellejos colgándole y el cuchillo de mango sádico.

—¡Atrás, atrás! —solloza la abuela Padilha entre saltos de conejo asustado, y Espiridión se sube al caballito de jade y desde allí lanza su grito de batalla: ¡Ayúdanos, Toakamuna, y descoyúntala y descalábrala y conviértela en osa!

El Chino va arrastrándose sin hacer ruido y al fin desaparece detrás del espaldar de una silla forrada con piel de tiburón azul: ¡cuz cuz, cuz cuz!, ruega antes de volverse humo.

La bruja levanta el corvo de doble filo y te voy a matar, Pánfila, porque tú llevas su misma sangre, y en el aire le va haciendo la cruz que brilla como piel de ballena en la luna. En ese minuto se ilumina el mundo bajo los fuegos artificiales, y en medio de las llamas y la pólvora viene corriendo el mayor de los Exus que con un impulso de gato consigue detener el brazo de la bruja Teruca mordiéndoselo entre la muñeca y el codo, y el corvo vuela sobre el tapete cuyas puntas están bordadas en hilo de oro del Perú con las iniciales de la descendencia. Caen nueve gotas de sangre negra, y la gata Urra casi no tuvo tiempo de esquivar el bulto. El Chino seguía como un pudú astuto bajo la silla de cuero azul con estoperoles de bronce y centauros tatuados al fuego: desde allí se puso a tocar solemnemente el pianito de platino que reproduce el sonido de la espineta y nubla a todo el que lo escucha y hace venir las tercianas y los calambres del corazón, hasta que las víctimas se mueren de sueño derramando bilis de chachalacas y espumas turbias por los labios. Así pasó con la bruja Teruca y Espiridión le dio el golpe de gracia invocando a Toakamuna, el dios muy bueno y muy malo que vive en la Cueva de La Mesa. La Vieja fue desvirtuándose hasta quedar convertida en un pequeño río espumoso con olor a saboyana fétida, y las espumas saltan y las plumillas vuelan cuando de súbito, desde el fondo del humo, y antes de que la tristeza se apodere del mundo, avanza la bruja Lula y va orinándose en el cuello de Pánfila que aúlla y tiembla sin gala como si hubiese pecado con todo el cuerpo, después de hundirse en un morapio arrebatador.

—¡Auxilio —gritó Pánfila mientras se muerde la trenza—: líbrenme de este animal tan repugnante!

Ogum mío, Ogum mío, dijo la abuela Padilha sin hablar: sálvanos de las vinchucas y las tarántulas y las serpientes de colmillos cómicos y babas envenenadas.

La culebra fue expandiéndose como una domadora bajo las garras del tigre y luego se redujo al tamaño del escorpión de los rincones, con el fin de hacer sufrir a Pánfila que se sentía naufragar entre la cortisona y la cornucopia, y sus ojos del color del susto y rígida de costillas como bajo una estrecha chupa de dómine hasta el absurdo.

Ese fue el minuto que aprovechó el Chino para abandonar su postura de dromedario tardío, y muy lince de cuello le dio un sablazo a la culebra meona, y tanto el hocico como la lengua de la bruja Lula estallaron en el aire formando una parábola, y después se escuchó el pánico infinito.

Ogum mío, Ogum mío, líbranos de la falta de piedad, móntate sobre esta Pánfila y riégala con el vigor del iniciado: dale así un poco de tu capacidad de resistencia para que ella pueda defenderse, suplicó la abuela agitando las plumas de Morales, su gallo capón de cogote verde y ojos negros que en la otra vida hundió cien veces el cuchillo de pirata sobre el pecho del Desventurado, con un sadismo de trefilador cesante.

La gata Urra ladró salomónicamente y fue soltando una substancia zorrina que en la bruja Maribú hizo el efecto del jugo de tártago. Ay, chilló la bruja, si parece que me voy a morir en un mar de meteorismos y constipaciones. La bruja Maribú había salido nadie sabe cómo desde las rodillas de los caballos y estaba dando patadas y echando las últimas babas del diablo, cuando Pánfila recibió la fuerza del Tata Ogum y con sus ojos dio la orden para que la gata Urra actúe como una zorra y lance la espiritosa miel purgante por el rabo, hasta que vengan las sombras y todo caiga en tinieblas.

Espiridión observa el espectáculo y con una matraca imita el ruido de los alcaravanes mordiéndose, y los alcaravanes consiguen que la bruja Maribú se nuble y la gata no dice nada cuando descarga el río de la pelagra, y así la última bruja se queda tan trágica como Aspasia de Mileto. Afuera del chiribil se oyen los tronidos de los Exus y el lamento de la abuela Padilha junto a su gallo capón.

—Líbranos, Tata Ogum, y danos tu fortaleza de bogavante, porque nosotras seguiremos siendo tus fieles putillas.

La víctima

Iba a robarme un laberinto, una memoria, una sombra. Pero otro que aún no ha muerto me cierra el paso con sus ojos turbios: me está mirando. Viene y me esposa. ¿No ves el alma y el camino para llegar a ella?, le digo fatuamente. Aunque para ti no exista la alegría del laberinto recorrido de ida y de regreso. Me exiges pago y me amenazas y yo necesito algunas palabras para iniciar el viaje: la mudez es penumbra o es la falta de un rostro. Pero él no entiende y hace un escándalo, y cuando parece que va a entrar en el espejo, gira sobre sí mismo y como la máscara de Ixión termina dándome el lado de la custodia y el fiscal, la propiedad, la mercancía, y a puntapiés me expulsa de la sombra y si pudiera pensar diría a éste lo elogio, pero qué va a poder, pobre animal.

El baile

—¿Mosca sería tu abuela? —nos amenazó el general Calixto García del Postigo y los trompetistas tocaron arrebatadamente algunos compases de *Guillermo Tell,* hasta que se desató el baile con caderas, temblores, y clavículas que iban retorciéndose alrededor del clavicémbalo: volaban las cuerdas y estábamos a punto de explotar. Monsieur Beulier dio un salto sobre el taburete y gritó ¡viva el destino!, mientras todos bailábamos con furia el gran minuete y los taciturnos alistaban sus cerbatanas de piedra para lanzar los dardos al cuello de las bailarinas hasta desmayarlas como si fueran cerezas garrafales.

—Qué triste suerte —dijo madame Duroc y sintió cómo el veneno de la plumilla subía por su vena cava y le venía un aturdimiento semejante al que le vino en la noche del jueves 21 de marzo de 1914, después de comerse todas las dalias del jardín.

—¡Basta de garrulerías! —sollozó el general Calixto García del Postigo y fue mordiendo el filo de sus uñas. Luego sacó del bolsillo de su guerrera un catalejo pequeñito forrado en terciopelo azul, y se puso de rodillas a observar el horizonte—. No veo a nadie: ¿cuándo se habrán ido?

La abuela dio un grito y yo sigo dando mis golpes de mula sobre la cabeza calva del tontillo que protege a madame Duroc, en los momentos en que lo esquivo y corro como una zorra pero todo es inútil porque el péndulo del reloj todavía está inmóvil.

En la noche silenciosa y oscura

El fuego y las palabras no siempre se alimentan, se devoran entre sí. Y como animales frente al espejo del sacrificio, hoy estamos sumisos, furtivos, muy solos, muertos de miedo. Y sólo se reflejan y ya desaparecen nuestras parcas cenizas.

La monja

La novia de dios viaja con Cristo
JUAN GELMAN

Brincas y salta como un conejo tu corazón,
cuando por entre el enrejado de tu cofia
y la encerrona de tu psiquis,
   divisas desde la celda el ansiado torso desnudo
de Jesucristo que ya viene sin pudor, calvo, sencillo
   —¿sudando como Tarzán?—
alevoso y salvaje.

Caballo blanco

De niño veía pasar caballos blancos, pero ahora estamos cojos y los turbios se apoderan. Caballo blanco, corre, corre, aunque levantes la tempestad. Puta solemne, no sé cómo vamos a salir de aquí. De niño voy corriendo y detrás mío el polvo se levanta con furia indomable.

—Mira cómo se le han puesto tiesos los pelos en las

ancas —dice mi abuelo Julio—. No soporta su alegría como un enfermo de fobia.

Yo lo veo pasar tirando patadas, lo veo con la furia de su cola, y pienso que aún está libre.

Sí, se viene la tempestad, esa *peste solemne como un culo de rey*. Viejo caballo, ya no puedes huir: por la imagen te retacas y los ojos se te nublan. La palabra no es en ti: ¿cuál es tu sentido?

César Centore

Capuchón, César, y camisa de fuerza. Incendiamos la casa y está bien hecho. Todas las noches matan y violan a la niña que sale del agua.

Los dioses no perdonan, César, y entre cuatro con bozal nos suben amarrados a la ambulancia, y los niños tiran piedras.

El Jefe del Gabinete da su ultimátum:

—A cama de hierro y pan, sea por lo perpetuo.

Quasimodo chilote

Si Quasimodo chilote* interviene en tu cuerpo, no hay lavativa ni llanterío ni conjuro ni oblación que pueda desliar tu contrahechura. Él viene a morder, cuero emboscado, la raíz de tu andrógino mocón, aceitándote el sueño. Pavo craso con cara de macho viejo y niñito, te arrastras cojeando con leticia, malo, disfrazado de oveja con la pezuña oculta.

Me convierto en hachero y te corto en lomitos, ese

*Así llama el poeta Darío Cavada al Trauco, personaje mitológico de Chiloé, en el sur de Chile: lascivo, perverso, y violador de vírgenes.

kilo incestuoso, pero tú ni te inmutas y te cambias en un mutante del dolor ajeno, y ya es tarde pues signas con la gula vestido de falsa quilineja y cucurucho, y antes que el gallo llore terminas tu recorrido por la ciudad castrando a todo el mundo.

La tragedia de Esfigmenon

Teresa amenazó esta noche con quemarse viva junto a sesenta monjes del Monasterio Esfigmenon del monte Atos. ¿Y qué retemblor te sacude la entraña? le dije, y ella dijo sollozando con su voz tan débil como el aleteo de la *Armandia lidderdalei*: prometo hacer de mi boca el infierno y de mis huesos el humo celeste, si el patriarca de Estambul destituye y expulsa de Atos a los once monjes del Movimiento del Antiguo Calendario.

Cuando Teresa estaba hablando, siete monjes izaron en el mástil rojo una bandera negra que decía *Ortodoxia o Muerte,* mientras los otros cuatro recitaban alabanzas al Antiguo Calendario y caían en éxtasis murmurando consignas temporales en lenguas arcaicas.

Entonces Teresa dijo ¡viva el destino! y el dueño del veneno vertió sangre humana sobre sus mejillas y ella se puso a gritar como si fuera a perder la fe: ¡prefiero el holocausto, prefiero el holocausto! Repitió la sentencia hasta que se desmayó entre las llamas del monte Atos y junto a las patas de los becerros muertos.

Los atunes del Mare Nostrum

Polibios dice que los atunes que vienen tangueando desde el Océano Atlántico hacia las aguas tibias del Mare Nostrum, se convierten en cerdos hambrientos llenos de oro marino cuando cruzan el Estrecho de las

Columnas de Hércules, devorándose todas las bellotas de las encinas profundas como en un banquete carnal, rumbo a las costas de Cartagena.

La enana de Quío

¿Todavía sientes el trote de los caballos hidrófobos? El Mar de Mármara esconde las culpas de Uskudar, el verdugo más insigne que haya dado el mundo de los votivos, las yeguas huidizas, las vírgenes venéreas, y tú insistes en regresar a Estambul. Pero no vuelvas, huye por el Estrecho de los Dardanelos y cásate con la enana de Quío: ella tiene en sus ojos el filo de una partesana inútil, y prepara sumisamente, con aceite de olivos olímpicos, las butifarras de color turrón y los peces amarillos.

Dodona se llama la dócil y se parece a las etiopistas, a los faunos circuncisos de Bengala, a las curtidoras de tobilleras con relieves taurinos. No la desprecies, aunque te jure que la mordió la serpiente de Usak: únete a ella por el ilíaco y bésala de un modo turbulento, como en una tracamundana. Su esteatopigia no habrá de ser obstáculo para que busques la pusilanimidad de su ombligo bermejo y su liturgia.

Dodona es tu vida, tu juego metabólico. Conviértete en su flechero, en su aljaba de oro, en su bailarín anfibio, en su bacán exquisito, en su iguana que se comunica con la muerte. Y baila de perfil, esotérico, heroico, pero teniendo cuidado de las turquerías, de las cornamusas, de los virotes, del estiércol de los petreles que son tan virulentos como tus famas.

El huérfano

Te seguí por las costas de Mitilene hasta el Golfo de Antalya, y recuerdo que ibas agitando tu instinto de un modo meridional. Todo esto me produjo el síndrome del canguro exiliado. ¿Cómo era posible que Afaf, mi novia nacida en cuna de mimbre lacustre, moviese su espíritu al estilo convulso de los vitivinícolas?

Todavía creo en el desequilibrio del carácter, pero no en los cambios del instinto. La genética es un río demasiado oscuro: la fisiología es la purga del instinto. Sin embargo es bueno mantenerse puro, indócil, vacilante. ¿Dónde se ha ido tu audacia turca, tus labios disímiles, y tu sangre de murciélago que hacía verte como la mujer más flaca del mundo?

Como el nieto de Hesíodo, te busco, calvo, vestido de buzo, pero el Egeo no me devuelve tu cuerpo: cuando aparezcas, ven sin tus labios, sin tus ojos, sin tus rodillas en relieve. No podría ver cómo te vas muriendo.

A menudo vuelve el ruido y recuerdo que jugabas con un corazón cuando te vi por última vez.

La rival

Era del Bósforo la rival de Dodona: tuvo tibias tan densas como los filos del pelícano, como los dientes de Nuestro Señor. La quise a pesar de que nunca me enseñó su ombligo.

Como un huérfano, doy a su memoria el bautizo del moro: te han de llamar La Submarina, La Circuncisa, y espero que Andobas te salve cuando Julio quiera matarte con mi puñal amarillo.

En memoria de Petra

Quisiera cantarte como Modugno y hacer de ti una percanta, la hija de Papirio, la más jovial de las barbianas, la perdiz más contradictoria. Me gustas diabólicamente cada vez que abjuras de todo lo bello, lo bueno, lo corrupto.

Dodona debiera ser como tú eres en la noche, cuando te vuelves en contra de todo. Afaf estará envidiosa si mañana subimos juntos al patíbulo.

El búho silba y ya nada me importa.

Orozimbo se muerde el rabo, se equivoca, y nuevamente se muerde el rabo.

Algún día seremos como dioses, pero descalzos, sin la espada y los coturnos del emperador.

En memoria de Dalila Muñoz

Doble pánico por ser hijo de judío.
Nunca sabré por qué, por cuánto tiempo, pero doble
  pánico.
Nunca doble nariz, doble dolor, doble ingenio
  como el de Afaf, pero doble pánico.
Apenas doble muerte porque la muerte nunca se repite,
  casi nunca se alimenta.
Hemos nacido ángeles y cultivamos la ubicuidad de las
  bestias.
Nunca doble lengua, doble poder, pero doble pánico
  como el cuello de Dalila Muñoz huyendo de mi
    abuelo.
Dicen que ella tuvo doble espíritu
pero nunca sabremos por qué, por cuánto tiempo,
  porque Dalila nunca se alimenta.

La mordedura

Por casta, por el complejo de su enagüilla trotona y el candado hierático, Artemis perdió el placer, los flujos del topacio, las fogatas nocturnas.

Hesíodo pudo haber sido suyo: huiremos hacia el reino de los odrisos, y allí te daré la sangre de los calamares y la pierna pascual en jugo de piña.

Pero Artemis mantuvo su vientre como aljaba de hierro y se quedó muda: ten cuidado, así nunca sea, dijo cuando él mordió su ombligo.

Los lacedemonios siguen ahogándose en el Mar Egeo y Artemis cierra su boca y sonríe junto al cadáver de Hesíodo.

Vikingos

El monograma rúnico que hay en el muro de piedra de sillería, revela que la tierra no sólo es cuadrada sino hexagonal como el huevo del futuro.

Somos nosotros los últimos que vamos girando secularmente alrededor del codicioso huevo piramidal, porque Dios vino al mundo en el cerro Itaguambyre pero se perdió al segundo día, cuando los vikingos navegaban por la sombra de los ríos que ningún aventurero ha descubierto.

Destino de conejo

Morirás degollado por tu propio colmillo que crece y crece como el vello de los muertos. Por eso roe, roe conejo y no hables una sola palabra, no dejes de roerte las uñas, la piel, las patas, roer por último tus crías, tus entrañas, pues no hay Dios en esta tierra que achique tu colmillo.

Nadie está libre

1

A estas alturas este cuerpo nada sacro cuya sangre soporta con suplicio la vibración de la opulencia, es capaz de entrar en trance todavía contra cualquier manifestación de materia o rito de política, incluso de enfurecerse a favor del Dios que a su vez, sépalo uno, nos comercia cariñoso por la espalda.

2

Como un enterrado vivo, araña, araña, que será ésta tu expiación por repugnar lo que ayer adorabas. ¡Resucita! y vuelve a lo mismo, o bien rompe y juega al revés. Pero es igual, pues de aquí nadie se libra.

3

Rabo a rabo, justos por pecadores se acarician, se querellan, se embadurnan, se pisan el cuello, se muerden la cola, se encatran, y a tobillazos y esguinces entran en acción de gracias por vivir.

4

Quisiera ser un romántico bramante ¡sin cepo!, ¡sin cepo!, pero todo esguince me astilla, me atonta, me convierte en entelequia.

El oleaje delirante

No ofertes, Judío, ninguna de tus aguas a Narciso, porque el mercantil vaivén del oleaje delirante ya lo tiene bien perdido. Informo que no dispondrá de flujos ni de armas pendulares ni de argollas reptantes, y habrá una sola capa que lo arrastrará consigo, veloz, como a un mal verbo la corriente.

A estas alturas no hay modo posible ni seguro que accione por bonhomía y asimile y resuelva sobre la contrición del contrincante. Quien al río se cae, aun cuando hijo de Heráclito, que sepa: jamás podrá jalar su efigie desde el fondo de aquellas garras correntosas.

¡Pásese este bando y, por fabuloso, dictamínese!

La silla de ruedas

Advocatorio el tono en que te hincas a los pies de esta silla de ruedas que es el mundo. Endemoniado vas llorando por tus ojos que sin remedio te conocen, te celebran, y así según costumbre te arrebatas dispuesto a todo y sitúas tu reciedumbre tan fuerte como un palito de rosa o un clavo de olor inocente, y escribes como quien digita con el corazón en lontananza y presagias, extraño, la música del clavicordio.

¿Y qué escribes?

Morisquetas, utensilios, residuos, voces, máscaras que suben del infierno de la tierra: la vacada celestial, la molienda pasando por librillos y cuajos y bonetes.

Y así, tú que todavía crees, vas rumiando una pasta voraz de signos poderosos y te constituyes de facto como Dios. Entonces bajas del cielo y nos convocas, conviertes la piedra en oro. Y así, plebeyo, impones al fin tu epifanía.

El póstumo

Ya roída la colcha verde como las guerreras del ejército de Napolcón, ella es tierra de nadie por fundar y hacia ella vamos para escribir allí los excesos dcl amor, la forja, el yunque, las brasas, la reproducción fiel de esta historia nuestra convertida en mito.

Porque poco es inédito, y es un no a las arenas por movedizas y un sí al infierno. Tú mi bien raíz, caldero adonde terminaré vaciándome, y esta nuca mía, la pobre, mordida y tan desértica.

Dispersos, no recuperamos aún las fuerzas sobre este campo sagrado. Coito fue, el póstumo retenido a porfía. Y ya suenan los cascos de los caballos y el cochero cómplice se baja y toca la puerta con su lascivo puño.

A los astros

Luna llena y sombría, amarilla de muerte, te confundí con un obeso mercenario de la Legión Extranjera.

Sol curco y sangriento, húmedo como el cadalso, te confundí con un Pope lascivo detrás de una zarina.

La fiesta

Bailando se hunde en un soponcio la hija de Toribio.
Y doscientos mil dólares es el precio del naufragio.
Pero ¡Diluvio, Diluvio! ¡Viva la vida tracamundana!
Y cinco mil invitados

Hacen del hundimiento de la Bergantina una codicia.
Abajo el turbio baile feliz ahoga los lamentos
Que suben por la noche del calabozo del Castillo.

2. LA MIRADA EN EL OJO AJENO

En lo real como en su propia culpa

Jack Livi, el danzarín al borde del abismo, saltó esa noche sobre el ataúd azul del poeta Alberto Rojas Giménez, y Neruda le dijo:

—¿Pero cómo se atreve a saltar por encima del guitarrero vestido de abejas que viene volando solo, solitario, para siempre solo?

Y Jack miró la urna por última vez y dio un suspiro:

—Mejores muertos he saltado en mi vida.

—Dime, Jack: ¿de quién es hijo ese cadáver?

—¡Deja en paz a mis hijos! Y aunque ellos no me conozcan, déjalos vivir en paz.

Al borde del abismo, el saltarín se puso a tocar en la flauta un concierto para mandolinas y la cobra bailó a su alrededor, al compás de las cuerdas, hasta que Jack Livi se salió del camino y le torció el cuello a Vivaldi.

Subió al taxi con una boa muerta de hambre enrollada en el paraguas.

¿Cambiar de religión, una vez más, aunque no sea cierto?

Por la entrada es la salida.

¡Pajareando! ¡Pajareando!

¿Me mira lo que miro?

Sin el infierno, Florita, no sería necesario el talento.

La pescadilla mordiéndose la cola apareció sobre mi plato, tan perfecta en sí misma, tan emblemática que no pude dejar de sonreír al verla.

Jack Livi tenía una cicatriz en movimiento perpetuo, pero nadie sabe dónde. Ninguno supo nunca si se trataba de una cicatriz o de un tatuaje. Hasta que una noche se encontró con el Muecas, y el Muecas, con su instinto de hombre venido del barro, le descubrió la huella moviéndose y le echó los ratones calientes por encima de la cabeza.

El Muecas está acostado y estira sus piernas de aprendiz de santo de madera, y con la punta de sus dedos sabe que su mujer y sus hijas están junto a él, bajo las mismas sábanas, y los ratones saltan entre los muslos y las nalgas.

Homo homini lupus. Sí, Plauto: como en los días del péndulo marino.

¿Por quién doblarán mañana las campanas que Polícrates ve con espanto, antes del brillo invulnerable del pestilente Orontes?

La muerte no tiene futuro, pero el futuro la convoca.

¿Serás Judas que acepta la divina misión del traidor?

¡El más allá de los mares!

Sobre el sillón turco está recostada semidesnuda la novia de Jack Livi, y tiene una manzana roja en sus manos. El bailarín de guantes dorados tiembla como un verdugo y sale huyendo del circo *La princesa está triste,* cuando llega el capitán Pedro Ruiz de Ahumada y besa a la novia con lujuria.

Una vez más, el Muecas ve al danzarín al borde del abismo y le pregunta:

—¿Qué te sucede? ¿Por qué tiemblas? ¿Por qué tu novia se ha vuelto estrábica?

Y Jack Livi lo mira de reojo y le muestra las muelas y después gruñe:

—¡No me arrepiento! La abandoné porque me fue preciso. Si pudiera le daría el golpe del conejo y la enterraría sin misales ni guarniciones, sin angarillas ni vinajeras, sin incensarios, allá en la tumba 1 de Loma Larga donde descansa el Dios Viejo 5-F con su cara del color de los cuernos del elefante.

El capitán Pedro Ruiz de Ahumada cambió su profesión del que funda por la del amero, y en la huerta del Convento de Tepotzotlán, bajo el vuelo de los pájaros rojos, dejó encinta a la bella de ojos tardíos, la novia del saltamuertos.

Se murió la hija del Muecas. La mató el Muecas. Se murió Florita por ir a Madrid con el culo lobuno y los ojos como el diablo.

Un día te levantas de la silla turca y desnuda te miras al espejo y ves cómo tu infancia se aleja, y sólo quedan tus botas de antílope y tus medias negras y tus labios temblando.

Al borde del abismo, Jack Livi derrama lágrimas de cocodrilo y se retracta de todo lo dicho. Con la mayor amargura del mundo se ríe a carcajadas y se retracta de todo lo que falta todavía por decir, y hace como que se rasca la cabeza y en verdad se la rasca.

A carcajadas la doncella persigue a la muerte y la muerte le hace el gesto taurino y la esquiva y la deja pasar, y la muerte persigue a la doncella pero la doncella corre hacia el cocotero y desentierra el cuchillo y le devuelve el gesto taurino y la esquiva y lo entierra en el pecho de la muerte, y la muerte le hace la mueca mortuoria y desangrándose se muere a carcajadas.

¡Qué caballazo tan fúnebre, Dios mío, cómo es posible?

¿Sabes quién inventó la tortilla?

El que fui apenas me recuerda.

—Antes que los muertos resuciten hay que resucitar a los vivos —sonríe Rojas Giménez.

—La mujer que yo quiero me ató a sus dudas —confiesa

Jack Livi comiéndose las uñas—: pero por favor no se lo digas nunca.

—Soy casi un beso del infierno— solloza la hija del Muecas.

Ninguna luz copula adentro de un cadáver.

Árboles, árboles, gracias a ustedes perderé la razón.

—Antes de maldecirlo todo, recuerde que tuvo usted la carne firme y su rebeldía me obligó a usar la fuerza de la espada —escribe el amero cruel a la bella de ojos color tango.

Al fondo del pasillo, sobre un barril de amontillado con espejos, reposa la cabeza blanca de la niña, la maligna, la indómita que ya encontró la carta y está llorando de furia y de pena.

Qué tortura llegar a ser un cuervo cabal.

Ninguna cosa es ya la misma.

Boca del tamaño de la comida de los que van a morir.

Te persignas con leche pura, mujer lamida por los lobos, mientras cuelga mi pálida carne de ministril convertido en gallina.

Dame vino, vino, inmundo vino desangrado: desde aquí vemos cómo sube el nivel de los muertos.

El alma es un hueso cervical, dorsal, lumbar, cómicamente sacro.

Al fin seré lo que estoy fingiendo ser.

Con el seso turbio, las tibias desterradas y los tobillos lentos, peligrosamente lentos, ecuménicos, sarnosos, dolientes, llegamos cayéndonos de bruces y no sabemos qué hacer y nos quedamos tiesos, sollozando, como soldados locos.

El estrellado cielo del infierno, donde el pavor baila de smoking.

¡Sólo el tiempo del mito crea una nueva rumba!

No te me mueras. Enigma fuiste. No volarás conmigo. Voy a pintar tu rostro en un relámpago tal como eres: dos ojos para tocar lo visible y lo invisible. Desde aquí estoy llamándote en el aire para decirte nada y aquí te dejo tu figura. Ponte al fin el vestido rojo que le viene a tu boca y a tu sangre.

Non omnis moriar: no nos moriremos del todo, viejo Horacio tremendo. Pero hemos de morir como la pobre abeja que zumba y que ilumina. ¿O desesperadamente, río abajo, cielo abajo como el mayor de los rotos chilenos hijo de Heráclito: dejando los sesos botados en los nidos de los mitos?

Soy autor de los cielos concéntricos: al entreabrir los ojos vi que la bella duerme desnuda entre mis brazos, con su boca tan grande como la de un falconete todavía ardiendo. ¿Viviré de olvidarme?

El lobo bautista me dio alcance y yo tenía una inmensa quijada de burro que no pude enterrar antes que él me viera. Había un gran silencio y parecíamos un sol enterrado de cabeza, cuando el lobo me dio alcance y me dijo:

—Quiero morir contigo.

Nuestra sangre todavía corre, acezando, como una peste.

Nació como mueren los reyes y los santos: decapitado.

Yo también quisiera casarme con la más hermosa de Mandalay. Por ahora quiero encomendar mi envoltura terrestre a ese ruido de la mujer cocinando carnes al carbón en medio del humo carnal y la sangre, con el ají destilando su espíritu furioso, a borbotones, y la pimienta que salta en la sartén del demonio y el ajo zorrero y su rumor clandestino. Y mi esposa a mi lado, a la orilla del silencio venido de tan lejos.

Cada vez que estoy con más de siete melancólicos se me arrastra una alegría asesina como la del lebrel afgano detrás de su liebre, y acabo en un arranque de llanto y un ataque de risa, aullando y corriendo detrás de la perra sola.

Los animales de piedra tienen los ojos abiertos sobre la presa enemiga.

Con romanticismo de can y volando por encima de todo sacramento, dos perros velludos se unen a vista del cielo y mantienen sus ojos blancos, en flujo y reflujo, hasta dar con lo irreal.

Puedo ver tantos animalitos que creo que estoy soñando o que voy a volverme loco de tanto gusto y de la alegría de ver siempre cosas tan distintas y fieras que juegan o se hacen el amor y cuidan a sus crías o están siempre a punto de hacerse daño.

¡Las golosas mangostas cubiertas de cenizas!

Siempre recuerdo a Manuel Silva:
Al hombre le vuelan la cabeza con una cimitarra
El hombre en cuatro pies busca su testa
La mujer llora por el hombre
El hombre llora con su propia cabeza bajo el brazo
La mujer y el hombre decapitado se abrazan se palpan
La mujer da de mamar a la cabeza de su compañero
El cuerpo del hombre sin cabeza se agita
Como la cola de un lagarto
La multitud vocifera delirante
La mujer acuna la cabeza en su regazo

La fusta del empresario silba amenazante
La mujer y el hombre sin cabeza hacen una venia
Y una luz los señala en el centro de la pista

Te veo delirante al observar el vuelo de las mariposas sobre el césped de tu Escondido Village. Quisiera que a pesar de todo duermas tranquilo cuando el ángel toque su trompeta a la manera de Fierabrás.

Ya descolgado del cedro, aturdiéndome, espío a la hija del Muecas, me muerdo los labios, y descubro que el amor se oculta en el péndulo marino.

Jack Livi, el desentierramuertos, se acerca obstinadamente a Florita y la agarra por el cuello perfumado:

—No negarás, tirana, los esfuerzos que hice para que fueras mía, y sin embargo te sigues resistiendo. No me queda más remedio que hacerte el anillo gordiano, el séptimo nudo, el círculo hirviendo.

Perpetrándolo todo: te amo miserablemente.

Puente levadizo al borde del abismo: la curvatura de la luz en la limpidez de los muslos romanos: la cortesana ausente. En el resto de tu cuerpo el escondite que los años del amor resolvieron. Todo aquello que no perdura, se esfuma necesariamente.

Porque no sólo la muerte es mortal.

Jack Livi descubre el autorretrato de James Ensor con su cara de mago atormentado, la barba blanca, los ojos de serpiente cascabel, la boca como la de aquellos que traían, sangrando, a Dios en las entrañas, el sombrero azul, las tres máscaras chinas, y está seguro de haber descubierto al viejecillo del cuento de Arreola y además comprende, por el instinto, que Epicuro está muy por encima de Epicteto.

Sí, Proserpina, ni la sábana frígida de Epicteto te cubre lo justo y necesario. Y pesadamente puerca y desnuda repliegas contra nosotros tu venenoso caracol.

Cubierto por la cremosa ornamentación de los pasteles, Gonzalo Millán toca rondas infantiles con una mueca en los labios, y piensa en un muñeco podrido bajo la tierra del jardín y las ciruelas perdiendo el gusto ácido en el agua. Tras las carcomidas lanzas de madera de una reja, se le pegan los pétalos en los labios a un niño que muerde flores rojas. Y yo con mis grandes manos, desde lejos, comienzo a tocar el piano de juguete.

Y así pasan los años hasta que un día su mujer le grita:

—¡Ándate a un convento o enciérrate en una cueva!

—¿Para qué si la casa es el convento, sus altares, la cocina, el baño, nuestros cuerpos, la cama y la mesa? ¿Para qué si como la cueva y el ermitaño somos la una para el otro?

Un cuarto lleno de trastos viejos, una silla coja, un candelabro oxidado, una mesa cubierta de polvo, un fragmento de espejo. Hernán acercó su rostro al espejo roto como si algo inimaginable fuera allí a aparecer:

—¿Esta cabeza de toro que me pesa sin que yo pueda recordarte?

Por una carta de Jack Livi, supimos que Floridor estaba muy cerca del fin del mundo, naufragando en el mar de la isla Santa María y sin saber por qué. También se sabe que escribe cartas de amor, declaraciones de guerra, y otros lo han visto con las botas puestas, las botas de su abuelo que pesan tres kilos: de mañana se pasa diez minutos abrochándolas: apuresé, ya voy, carajo, comemos jaibas y partimos, él a la fábrica de cal y yo a la escuela.

Sus amigas del puerto son gordas y me regalan uvas y por la noche le desato las botas para purificarme: abuelita me cuenta la historia de Nabucodonosor y yo duermo como un rey. Mis sueños no son proféticos, yo sueño con las niñas del puerto, con sus ojos de uva negra.

Tu olor nauseabundo como las flores blancas del guaco me tiene a medio morir saltando. ¿No es posible que al menos lo disimules? ¿Por qué me miras con tanto orgullo como si fueras una columna de pórfido?

Sexto Aurelio Propercio, que está medio loco, se dirige a la hija de Júpiter y le canta los versos finales de su Elegía LXXX:

—Quisiera tender debajo el tierno muslo, pero tu silencio un aterrado cómplice. Doble crueldad no poder rescatar tu rostro ahora que quizá tú también lo hayas perdido en tu recuerdo, después de tanta miseria y de todos estos años. Amargura del botín de aquella noche, Proserpina.

—En todo el mundo dicen que soy un criminal. ¿Qué piensas tú?

Miraba los cristos del cerro, las vacas pastando, embrutecido y lisiado por el conocimiento de la maldad.

Allá arriba, en la tierra, suena algo semejante a unas campanadas.

Con la cabellera furiosa y blanca como la del Minotauro, Rafael Alberti desciende a los infiernos y entra en connubio con Proserpina, la hembra de Plutón, y echa a correr su emoción pánica y dionisiaca cuando ve que una columna rea de siete satanes pequeñitos se le viene encima para matarlo, pero él gana la batalla con tres cornadas y cuatro aullidos descomunales como los perros de Tamayo.

De bruces con la vihuela en llamas como tangueando, rufianamente, malevo, curdo, de cunnilingus y pavorosa mentula, sudando turbio, espeso, la gota fatua del cólera buey, tan sombroso y malvón, tan zurdamente, a lo ramona como una serpiente llena de cascabeles y lentejuelas, además de un tanto sucio, cochino como un triste: un angustiado vate, de otoño y otros mayos, lloviendo, solitario, guitarrero, toro, con estos suplicios de corazón con ojeras y por debajo un violín descabezado como un infundio y una piola senil y una polea y un tormento: al fondo del laberinto se agita Menesteos sobre Proserpina y así se vienen, de pedicare loco, caninamente, y van echando afuera sus luces y sus iras de bandoneón del diablo.

¿Seré cazurro, cenizo, solitario?

Nada es lo mismo: todavía.

Del dicho al lecho hay un abismo al borde del abismo.

Un trago de bacanora me hizo ver el cielo de rodillas.

Encanallada por un bandoneón y una guitarra, te veo cantando tu conversión a la vida, como en las antiguas leyendas del corrido y el tango.

Menos tu vientre, todo es difunto, cenizo, solitario: un hachazo invisible, un trueno, un baco pequeñito y un esplín homicida.

Nos duele que no estés. Y en tus heridas los siete clavos, las siete vidas del poeta por vivir: como en un miserere canyengue o una toccata rea.

Chile retumba en los bramidos de las viudas bajo el dolor de los hermosos loros tristes, y el palomo casi bruno, cenizo, solitario, está llorando con locura y descorazonamiento la huida final de su paloma capuchina, y nunca más, ya nunca se pondrá pancho, eufórico, elegante, porque el tajo le va sangrando pianísimo por adentro del alma, como un puñal incendiándose o un frío por morir o un vuelo malevo.

Olímpica, brumosamente, el loquerío hace al monje, y Jack Livi lo sabe. Por eso se ha puesto a saltar cadáveres de angelotes silvestres y angelitos lácteos, terráqueos y leonardos que pertenecen al mundo de lo fantástico, volando por los hornos de las cocinerías donde se fríe el destino como en un funeral.

¿De los extravagantes es el reino de los sueños?

—Aquí en su casa todo sigue igual, pero me había olvidado decirles que el reloj que cuelga en el comedor está caminando desde que ustedes se fueron.

Su cuerpo es una pezuña, pero Jack Livi va resbalándose hasta llegar al ocaso y allí, meloso, hace de la pezuña un arrullo de niña, algo ñoño, una profusa melancolía.

Ahora que es la hora y las campanas tocan a rebato, tú te rebelas y vienes desnudándote por el camino con una flor tatuada sobre el vientre.

Yo también quisiera escribir un nocturno con perros, pero los sueños todavía me son infieles.

Richardini hace el lento descenso de la serpiente cascabel, casi como un cangrejo violinista por la pantorrilla sombría de la baronesa romana que en pleno goce de su explosiva adolescencia —ella tan precoz— languidece de hastío.

A los diez años, Haendel había compuesto un libro de sonatas. Su padre quiso que fuera abogado y le prohibió tocar un instrumento, pero el niño se procuró a escondidas un clavicordio mudo y pasaba las noches tocando a oscuras en las teclas sin sonido.

Y dile al que no soy que no he sido ni seré sino el vaivén de una cuerda en el vacío, el roce de la eternidad en el cuello del que se prepara para la muerte, la herida solar con que me tatué para el amor de la mujer ciega que ahora camina con una sombrilla tricolor por mis venas.

Minerva está con Aquiles: le dirige los golpes: le trae la lanza sin que nadie la vea.

Lúcida en su blanco mortal: inundada de luz.

Somos víctimas de aquellas vidas que nunca hubiéramos querido vivir.

—¡Mamá! ¿Quién fue Dios?

Desde el fondo de los murales de Bonampak vienes volando con tus brazos cruzados de luchador olmeca, tu piel de puma latino, y toda la hechicería del coyote.

Ahora oímos tus lamentos de lobo nupcial, pacífico, y por las noches, cuando algunos creen que vas a reencarnar en un cangrejo bayoneta, te apareces como un nautilo que canta y tienes los ojos asombrados del pez luna del océano.

Desde entonces llevo la barba crecida como los murciélagos elegantes.

3. NUEVOS TORMENTOS

Todo asentimiento es mortal

La familia

¿Pero qué podemos hacer si nuestro hijo se pasa el día y la noche afilando su colmillo en el fondo de su cueva de guarén bobo, bobalicón, y esta mujer mía que veis al frente y que posa de bella bestia feliz y dueña de hipnotismos y ceremonias y comadre de tantas ratas y vaquillas, está llorando mientras observa como una degollada la caída de su pelo y la piel de su fémur y la pérdida de mi anillo de matrimonio y mi blusa búlgara, en esta noche que como en otras me espío escribiendo juglarías, brujerías, bufonerías, oficiando de testigo y juez del crimen?

El hijo

Vemos volar a este descomunal vacuno que pierde pie y desbarranca echando bofes, salivoso por el río de tu alma que lentísima te hormiguea el cuerpo y lo pudre y lo desangra mientras sueñas, materna que roncas y relinchas y balas y croas y maúllas y aúllas y ladras y chillas y trinas y pías y amaneces pegada por placenta a nuestro único mito: ese hijo tuyo que en el vuelo de una noche se convirtió en semilla y se levanta y nos denuncia y nos lanza la primera piedra, así está escrito, y también la última.

Gateando vamos todos hacia el país de los muertos felices

1

Quince centímetros justos de estatura y de vejez tuvo

aquel feto peludo y formal que desde el interior de aquel frasco con formalina nos rogó en la mañana, arrugado, ronco, que por nada del mundo se lo dijéramos a su madre: una mujer con cuerpo de niña y ojos de piedra.

2

Gateando parirás al hermanito, y ahora todos practicamos nuestras mandas de gatear: gatea el padre, gatea la madre, gatea la abuelita, gatea el niño, y el abuelo que gatea en el Purgatorio con cola y largos pelos, descuelga sus dos cuernos sobre el techo de mi casa, se orina y llora.

3

La niña muerde el zapato blanco de badana de su padre de un mes y lo saliva, y el padre de veintiocho años tiene ganas de chupar y de morder las botitas de su padre bajo tierra.

4

Al paso que la abuela se reseca y vuelve a sus pañales y les canta, el bisnieto se chupa los dedos con dulce de alcayota, se moja y odia, con su cara de perro, su bacinica para siempre.

Prometeo en triciclo

1

Prometeo en triciclo, al morder el membrillo muerdes el fuego del cielo, y es Hércules el que viene y te tiembla. Tus ojos marcan como un reloj de arena el tiempo en retirada, la energía en expansión. La rueda inicia el viaje y cada mordida tuya es un signo y tu rostro siempre vuelve, adventicio.

2

Sol caballar, y tú lo montas y lo trotas. Pero no puedes sino la elipse, la hipérbola, la parábola, abrir el círculo cuando estabas a punto de cerrarlo.

3

Como cae el mediodía, así tú te levantas. El jardín es más que la crueldad, es el Paraíso. Ahí va la tierra desplomándose: es mejor que te vuelvas al triciclo.

4

Traficante de tortuga a escarabajo, ahí va mi pequeño Midas circulando de círculo a centro en su automóvil de latas viejas y pedales simbólicos, como un meditabundo geómetra de la Heliópolis.

5

Lo binario se acaba en ti, hijo del San Cristóbal, porque al unir la trama con su revés, no sube ya Prometeo ni baja: pasa la luz, el fuego quema, regresa el tiempo, la tortilla corredora se reclina, se detiene, entra más luz, más fuego, la claridad nubla. Nada es ya tan sólo falso, sólo verdadero.

Amamantados

Ella que me mama voraz y de noche con su boca de oso hormiguero y su inclemencia, le ha dado de mamar hoy por sus senos que le cuelgan y se arrastran con rumor de serpientes sobre el piso, a esa gata mamona con pie de perro, de cuyas cinco tetas en trance se amamantan diez cachorros de rabo humano, y lo que queda después de la batalla es el llanterío pues aquí viene llegando, sangriento, plumoso, zorrino, el Cazador que juró atravesarnos con su venablo viril y exige que lo mamen y afila su cuchillo.

¿Dónde estará la abuela?

1

Hace cincuenta años que dejaste de llorar, cuando la última lágrima se desprendió de tu ojo izquierdo —el de la concupiscencia— y fue volando como un cuchillo de plata hasta el fondo de la caja de cartón donde se revuelcan los ratones con sus crías desde el otoño de 1880, entre orquídeas y salmos.

2

¡Ave María Santísima! gritó la abuela Odilia, y el hombre de los dientes de oro, capuchón negro y cola blanca, fue botando fuego por sus ojos hasta desaparecer.

De su lengua y sus cenizas se levantó el humo celeste que nos arrastró a todos, y así fuimos cayéndonos al abismo entre injurias, calumnias y blasfemias.

No le dejo pasar su crimen

Tragan leche, suegro, y son con alma:
como guaguas, como lauchas.

Tienen uñas, los cinco, y pelo negro:
como Cristo maman de su gata.

Piense en Asís, suegro, y no los tire:
maullando, sin un Arca.

La princesa del barrio

Deposito en tu piel la parquedad y la leticia de este niño de las monjas que brinca y palidece como el hijo del ladrón, y jugamos lejos, cada vez más lejos de Valparaíso, al doctor y su nerviosísima enferma de vellos verdes y ácidos como el té de Ceilán. Te saco en este instante las botas blancas que contemplamos sufriendo cómo degüellan en octubre tus tobillos de Princesa del Barrio, y como el rey te exijo que desnuda detrás del sillón de felpa con un ángel, te pronuncies contra el pánico representado por la abuela que lidia noche a noche con el miura de Satán entre las sábanas, mientras yo hago lo imposible por hacerte mía contándote leyendas feudales, historias de bandidos y liturgias taurinas.

La costilla

1

Me siento a comer una costilla del Cordero Pascual y corro como Jesús en el bosque.

2

No tengan miedo. ¡Muerdan! Y seréis como dioses.

Durmiendo sobre el césped

Odio la lucidez del que pudiendo odiarme le teme al desprecio. Sumisamente me siento bien en las doncellerías desiertas. Detesto el código de los albinos, los linfáticos, los hemofílicos. Odio a quienes jamás gozaron y tienen los biceps rubios. Me odio en los falsos tuertos, los inocuos, los vendedores de perfume.

Como los eunucos, los mancos son buenas personas que pudiendo no temerle al desprecio le temen como la pantera al cordero. Odio al ciego porque se ha vuelto ciego. La doncella viene y me besa sin que nadie lo sepa: se llamaba María y ha conocido el mundo con una sola mano.

Es de noche y sin rencor odio al perro porque agita su cola como si siempre hubiera sido un perro.

Estoy cansado y me arrepiento del odio que no escondí.

Durmiendo bajo el césped

Amo la fuerza por sobre todas las cosas. Tal vez Palamas estuvo en la razón: todo concepto conduce a la muerte. Amo tu odio por sobre todas las cosas. Amo el desinterés de tu odio: la dádiva que nos redime de la bestia que debiéramos haber sido. Sólo nuestras debilidades son eternas aunque ya no podríamos ser débiles: ¿cuándo alcanzaremos la vocación y el dominio?

¿Sólo los traidores son bellos?

La mano

Jurarías que todo estuvo escrito. Sin embargo yo creo que tú mientes porque sobre ningún muro hay dos palabras que digan lo que ya está dicho.

Sucede lo contrario: lo imperioso.

Y toda piedra fértil y toda piedra abominable se hunden en ti para jurar que ya no hay nada que decir: lo nunca dicho es una diosa con dos culos y mi mano de piedra.

Genoveva, no me abandones

Sangra el cuello de Genoveva cada 21 de mayo. Se dice que ese día el cielo se estremece y vienen las tinieblas. Es el día de la impiedad, el día en que se decapita la leyenda y el ángel vengador del Apocalipsis desciende de las nubes, excitado y violento. Detrás del ángel aparece un hombre de barbas con un martillo en su mano derecha y al cinto una daga filuda. Hoy es el día de los degollamientos, de los arrepentidos en el último minuto. Es el día de la gran deuda. Parirás a tu hijo con el temblor de tu frente después de cuarenta noches de dolor ininterrumpido, y si no aceptas parirlo de ese modo, sudorosa entre torturas, entonces no habrá más que el padre y tú la degollada, la maligna, la culebra.

No puedo soportar la paz de tus ojos y el velo cayéndote encima de los hombros como una nieve perpetua. Te odio, Genoveva, y brilla tu cuello del color de las manzanas del árbol del Paraíso, y tú bien sabes que para mí todo es terrible. Ofidio voy con mi capa de seda roja, mi larga melena, mis pantalones de terciopelo negro y mi barba gris. Salto la barrera de cristal y caigo entre los cirios encendidos: contra el fuego, los candelabros proyectan sombras alargadas como los apóstoles. Corren las llamas por el interior de la basílica y las sombras siguen temblando.

Confieso que todo empezó hace más de un año, en Sydney, una tarde que yo caminé en medio de la gente. De pronto sentí que un rayo de luz me estaba tocando como en una visión. Escuché diez truenos, uno detrás del otro, y una voz que me hablaba. Esa voz me angustió y seguí sus instrucciones subiéndome al fresno en la parte superior de una colina. Abandoné la geología, vendí algunas piedras preciosas y zarpé en un barco cuyo único destino era dar la vuelta al mundo. Desde aquella tarde tuve la misión de extender la profecía entre los cautos y los incautos, los suspicaces y los ingenuos, los inocentes y los perversos, los creyentes y los ateos, los fariseos y los evangélicos. La voz me dijo ¡anda! y no olvides tu moral y tu cuchillo. Ahora voy sin la cruz que dejé sumergida, oculta en un lugar seguro. Allí también enterré mi látigo.

Eres impura, Genoveva, como la Venus Desnuda, y no soporto tu sonrisa criolla y tampoco puedo ver tu mano izquierda acurrucada como una paloma dándonos el perdón después del suplicio. Tú no vienes del cielo, tú revientas en el fondo del barro, y agónica tu flor negra como las mejillas del Señor del Veneno, y tus ojos como los ojos de una lechuza durante el día. No hubo ángel, no viajó el semen a través del aire hasta llegar a tu vagina, y fue carnal tu cópula y fue furiosa, Genoveva, como han de ser todas las pruebas del amor. Todos nosotros te estábamos mirando, y qué alegría verte tan feliz con tu olor de pastora revolcándose en la cuna.

Ella cerró sus labios y no me atreví a hablarle. Me estaba mirando con una compasión irresistible, casi ofensiva, que desató en mí la obscenidad y el odio: di un salto de zorra, salí volando por encima del muro de cristal, y con un tajo de mi cuchillo abrí la cortina. Adentro tú dormías con tu hijo en las manos y me puse a llorar al verme durmiendo de ese modo. Velozmente cambié cuchillo por martillo y te di el primer golpe a la altura de la nuca. Quería decapitarte y no pude: volví a descargar el martillo sobre el velo, pero el velo te cubría la cabeza y los hombros. Yo estaba sollozando. Al fin te alcancé el brazo izquierdo y esa mano tuya que tanto me hace sufrir y que yo hice saltar como si fuese una aldaba.

La sangre cae desde el velo hasta mi mano y me suben temblores por el vientre y las rodillas, el pecho y los codos. Todavía veo la cópula bañada en sangre detrás de la hoguera que se eleva hacia el cielo. Voy a precipitarme, se me nublan las sienes, los tres clavos, el madero incendiándose, te martillo la nuca, el madero incendiándose, te martillo los ojos. Genoveva, no me abandones.

Al regreso de un viaje a Bitinia

Cayo Valerio Lavín, el último poeta latino que abjura de todo, observa el paso del tiempo en su clepsidra de oro, y cuando va a reanudar la escritura de sus cármenes se vuelve taciturno, perdulario, cómico, y se pone a llorar como un niño salvaje porque ha descubierto que el coronel Aureliano Buendía acaba de morir para siempre, y oye los lamentos de María de Buenos Aires en los naipes ensangrentados de Horacio Ferrer y el bandoneón de Piazzolla que aúlla entre las llamas. Cómo duele el gotán cuando el músculo ya no duerme, no podría dormir, el músculo va a reventar, y se viene la Letanía del Domingo que todo lo redime y ya no es necesario que nuestros corazones se vayan al fondo de las troneras con un tacazo ecuménico. Está curdo, malvón, y se siente como el estribo de un mariscal francés derrotado, se siente Segundo Imperio con la locura de un estornino, estrambótico, mandibulario como un mamut o como las flores del estramonio. Aunque le queda la última esperanza de que a fuego están mandando tocar las campanas del olvido, y en la María porteña tiene sus ojos puestos.

Noche de Quito

Santo Señor Jesús de los Milagros, vacía está La Ronda, la gente tiene miedo, se curvan los cirios y de peste las llamas amarillas. Añil es el color de la traición. Y en el azul del cielo los rayos y el lamento de Atahualpa como espejo del vituperio, el sacrificio no entendido, la venta de Judas.

¿Niebla, por qué no dejas pasar la luz de las estrellas, el infinito centro negro, el infinito centro rojo, el infinito centro blanco, la luna abierta, el sol cuadrado y macho?

Tal vez sin quererlo tú ciegas el destino. ¿O lo proteges? Detrás de ti un círculo y al medio un soplo. Noche de Quito, tus indios no se ven, no hay espejo ni sombra que les dé vida.

Subimos al techo del mundo y la ciudad es el alma en penitencia, el complejo de la culpa, la memoria.

Al hermano Hernando de la Cruz

En un tono de inmolación y divina comedia, quisiera yo el vigor goloso del hermano Hernando de la Cruz, su bondad, los colmillos de sus jabalíes, las iras de sus bestias, y el miedo para llegar a ti, María, y desnudarte sobre este lienzo de Quito que se desangra sin descanso: así podríamos destruir una impureza con otra, de repente, hasta librarnos de tu inocencia cruel.

De 1620 yo quiero tu electuario, tu cilicio, el tocinillo del cielo y la sal sobre la herida que hizo de nuestro dolor un doloroso goce.

La Mama Cuchara

Ahora derramo el ají en esta Mama Cuchara para que trotes sobre ella como por un valle de lamentos y expíes tu adulterio con atrición: camina lentamente y el pueblo te verá pasar desnuda y sollozando.

Hace trescientos cincuenta años colgabas de este lienzo, sumergida en polvo de oro. Tenías la fatuidad, el poder de exterminio del añil y aquel rojo imperioso de tu codicia. Recuerdo que por debajo de tus nalgas, entre espumas, el hermano Hernando de la Cruz iba subiéndote sobre la parrilla y yo te hundía mi tridente con la hidalguía de una patena.

Hoy cumples tu culpa en esta Mama Cuchara y la recorres hasta el final, pero no eres la única que se desangra: de cada uno de nosotros salen espumas y la sangre se va calle abajo, desnuda, en círculos, como última contrición.

A Martín Adán

La poesía es diurna y es clara: es que no sé y no importa que lo sepas: déjalo a ese Adán, no toques nada, ya no hay necesidad de fundar nada, él es el Otro y no tiene salida: ¿no ves que no la tiene?

La línea de la vida no debería rayar la mano, no se justifica, pero él insiste que él, que es Otro, no lo es sino que es Uno, y aquí va mi mano, la otra, borrando las huellas de este escriba cuyo entablillado seso se precipita —perdóname *Dios, con la lágrima gorda*— hasta el fin de su cobardía y sus últimos gestos.

La borrachera de Galileo

Galileo Galilei levanta su copa de vino de Malvasia y echa al viento un suspiro que más parece venir de un arrebato de nihilismo que de una cantata triunfal. Galileo vive triste en el Museo de los Oficios, aquí en Florencia, y desde hace nueve años se dedica a la bebida y a veces da unos gritos que asustan a los visitantes y luego sufre depresiones púnicas. Escipión lo acorrala, lo atormenta, y así gana su calidad de héroe problemático: los ojos se le vuelven de pajarito, libidinosamente el labio, fofo de nariz, fatuo de orejas, semicalvo, y una barba de color turbulento que le cae sobre el corbatín.

Borracho y sin pudor va Galileo Galilei como un demente por las dependencias del museo florentino, y lleva en sus ojos el brillo de los ataúdes, de los sombreros de terciopelo, y de todo lo que se va cayendo de sus formas.

Galileo se agita y sus lamentos se escuchan en el Museo de los Oficios cuando tiembla la luna llena. Nicolás Copérnico cuelga de un abedul y tiene el movimiento de los planetas sobre sí mismos, y el abedul sigue rotando alrededor del sol:

—¿Por qué somos tan crueles con el que descubrió las leyes de la caída de los cuerpos, enunció el principio de la inercia, inventó la balanza hidrostática, el termómetro, y construyó el primer telescopio astronómico en Venecia?

Pero nadie escucha la voz de Copérnico y Galileo

Galilei solloza y viene dando tumbos por las quince salas del museo, hasta que sin pensarlo da vuelta en una esquina y al fondo del Pasillo del Abandono se abraza a Copérnico que gira sobre sí mismo y grita:

—Eppur si muove! Eppur si muove?

Chagall y una margarita

Chagall va a cortar el tallo de una margarita y sale volando por el aire cuando la tierra vuelve a ser como la luna, y los terneros giran alrededor de sus vacas decapitadas: Chagall dice que la vaca es el mundo: el mundo de la vaca es el mundo visto por detrás del pavo que sigue corriendo detrás del ganso, y Kant se pregunta: ¿cuál de los dos estuvo primero?

Chagall dice no te tortures: todo campesino resucita mucho antes de su muerte.

Lástima del que no cree en la intuición: sólo en ella las novillas se ordeñan a sí mismas y toda su leche, aunque algo cómica, acaba por ser despiadadamente pura.

Odalisca

Si la Odalisca de Matisse todavía tiene dos pezones, ¿por qué no tuvo dos ombligos? ¿Mezquindad del fauvista? ¿Descuido intencional? Pero aún es tiempo: las ventanas están abiertas, las flores en el florero, el verano en el sillón. No hay perifollos. No hay perfidia. Todo está listo: ella sigue desnuda desde 1900, y durante la noche se quita el collar de abalorios rojos y negros para que tú no te distraigas y puedas restituirle su segundo ombligo.

Viaje al torreón de las abejas

¿Tardíamente sobre las sábanas escarlatas? No sabríamos qué decir: sólo diré que tú amabas el peligro porque eres la hija predilecta de los Caballeros de Colón. Al fin no conocí tus dientes, pero tus cartas náuticas son envidiables y fraudulentas como el rito de tu pubis sombrío. ¿Habremos de recordar que la farándula siempre ha sido superior a la fábula: por qué no me muerdes junto a la cruz torcida? Yo quisiera verte morder mi cuello durante las cuatro horas que dura tu retiro, pero ¿cómo puedo llegar al Torreón de las Abejas? Te seré franco: hoy mismo debo llegar a tus labios porque si no llego me muero. Con sólo mirarme, el duque de Alcudia me derriba, me desbarba, y Fermín Culebro acaba por poner su lengua en mi frente. No olvides nunca que soy el uromántico, el teomaniaco, el perinatólogo de la mordedura invisible, el matarife del misticismo al revés, el filósofo del brazo corto y el hijo de la monja.

El accidente

Hemos vuelto a creer en la anarquía del accidente fantástico: abrir la puerta de la calle y contemplar a María Teresa de Austria desnudándose en los brazos del novio de mi hermana, en cuyos ojos la midriasis se parece a los huevos del avestruz.

Cuidado, suplica ella: ¿por qué me miras con tanto abismo? Y el novio dice perdóname, María Teresa, pero debiéramos ponernos en guardia pues está volando sobre nosotros la traición de Luis XIV.

La Recoleta

Eduvigis se llamó el asesino y tuvo nombre de rey dual, de codorniz concupiscente. Nunca hemos vuelto a saber de su vida, aunque la historia sea tan pública como dos lobos en un salón de té. No pienso contarla porque es profundamente pública: sólo diré que Eduvigis Zárate pasó de liberto a libertino. Aquí en La Recoleta quedan las pruebas: tres hijos suyos con ingles pardas y cabeza de puerco, una hija sin afeites, sin encajes, y repitiendo el estribillo hasta quedarse ciega: murió mi eternidad y estoy velándola. Eduvigis quiso morderle los codos y el músculo del cuello pero ella dijo eres doble: ¿por qué no me comes después de muerta? Odio a la muerte porque no existe, solloza el rey y hunde el cuchillo en la frente de su hija: la codorniz se ha vuelto ciega, pero no diré nada más porque nadie lo creería.

El avestruz

Llovía sobre el mundo cuando tú fuiste el último en huir. Todos éramos sefarditas, ojituertos, y ninguno de nosotros creyó nunca en la redondez de la tierra: nuestro viaje fue el vértigo de los expósitos.

Eras el póstumo, el argonauta inútil, el coloso del hígado verde. Dios no estaba en el mundo. Si estuvo, habría desconfiado de la tierra como del movimiento perpetuo.

Hijo mío: ¿serás como el avestruz desnudo?

Todo mortal propicia su feudalismo: nadie cambia, al fin, su vestidura.

Tal vez tú cultives la clemencia de las tortugas o te

pierdas como el fulgor de los lobos.

El fantasma

El obeso fantasma de mi padre que recién ha muerto, arrastra sus rodillas bajo el claustro románico de la Colegiata de Santillana del Mar: la sevicia jura que soy invisible pero nadie puede huir del júbilo de mi canto: si alguien me recuerda, cree soñar: la muerte es tan voraz que si algo no es, cree que no fue jamás.

Ceremonias

Por favor no me llamen: posiblemente me haya vuelto loco. Recuerdo que fui un niño feliz. Ahora odio a mis primas y no sé por qué padezco el placer del autodesprecio.

Sin embargo todo es tan cómico.

Me arrepiento: estoy riéndome como una monja inocente. Recuerdo que fui ceremonioso y católico. Soy ceremonioso y católico: es bueno ser ceremonioso.

¿Alguno de ustedes es ceremonioso?

Todos tenemos la melancólica nariz del católico. ¿Quién sabe usar la gambeta? Ojos de percanta, labios de bacana.

Sería mejor que me llamen. Mientras tanto, bailo el vals de los otarios porque el mundo se ha vuelto preciosamente cómico como el asco.

El tango de María Magdalena

Aquella noche del 22 de julio vi a María Magdalena, patrona de las putas arrepentidas, arrodillándose junto al pozo que está muy cerca de la huerta de las calabazas y las guanábanas.

Me atrevo a decir que estaba de nunca más, atribulada y rotunda, y era el feroz tango que no ha sido todavía, y por debajo de su escote le vino una tiniebla como de beso póstumo y no me dijo nada, pero estoy seguro que ella sigue mordiendo el gran amor de Don Quijote, porque de sus muñecas frescas como una cal viva, cae la misma luz mulata que todas las noches sube desde la tumba donde agonizan las manos y los ojos del Caballero de la Mancha.

En aquel momento se derrumbó de su frente la oscuridad que en ella parecía inmortal, y temblando, sin su perfume dionisiaco y muy lejos ya de lo prostibulario, más bien pura, María Magdalena lloró por todos nosotros y se fue levantando desde el antiguo jardín una mezcla de olor a pajaritos negros y sangre de orquídeas.

—Qué olvido eres entre todas las turbias —le dije.

Y ella no dijo sí, aunque le veo dos lágrimas rodándole naipe abajo, pero se alza de corazón y dice en un lamento:

—¿No ves que estoy cargada de amargura? Yo sé que Don Alonso Quijano está vivo y prepara el combate con su adarga de plata, pero los crueles me lo quieren matar.

—No temas —le dije mirando hacia el fondo del pozo— porque la tierra está llena de sus hijos manchegos que vamos por los caminos con las cosas de vivir, serenos, nerviosos, a vengarte a contratiros, a contratajos, a golpes de humano y más humano, pues en este terreno lo que sobra falta y nunca está sobrando.

Tanguito que acaba mal

Sos el mismo del negro pañuelo,
sos el mismo del saco cortón;
el del lustre aceitoso del pelo,
prepotente, haragán y matón.
CELEDONIO FLORES

Se me tuercen las penas del alma con un placer doloroso. Fui bacán, gilito, discepolín: qué vachaché, fui abacanado, y por las trece líneas de mi mano supe del tango atroz que nadie ha sido todavía. Poco a poco voy olvidándome hasta del turbión de la vida y su candombe y su cuchillo, y se me enfría la sopa de arrabal y la milonga subrepticia. Al punto nací mulato, tristón, zurumba, y vine al mundo en domingo, penitente y porteño y baldío y chamusquino. Me gustan don Astor y Homero Manzi y el gringo Gershwin y los sueños de Picabia y los grabados de Palenque. Hace un siglo me peinaba con una brillantina azul y ácida como sangre de toronjas, hasta que un día dije ¡basta de encantos cursis! y me eché a volar, piolín, pipudo, piromántico por todo el orbe con una tristeza de marabú y de mapache gris, y así fui llegando al Convento de los Jerónimos de Belem y di la vuelta y entré de noche a la India donde una joven me enseñó como en un tango la Caricia de los Dos Muslos y la Caricia de los Dos Senos y la Caricia del Jaghama y el Abrazo de la Serpiente y el Abrazo Trepador y la Unión de la Semilla de Sésamo con el Gran Arroz y al fin la Unión de la Leche y el Agua.

Al sur de Bombay y en el mismo sitio donde descubrí la Milonga de los Desaparecidos, pude ver una lucecita de color verde que me condujo hacia la Cueva de Richardini el Desventurado, y él me dijo:

—Abandoné para siempre la cartomancia y la cleromancia y la piromancia, y ahora estoy sumergido en el cultivo de la androlatría.

—¿Qué es eso? —le dije agitando el pañuelo negro.

—No seas cortón de genio y largo de labios— me interrumpió Galia, cuyas cejas todavía conservan el tono de la flor del flamboyán—. Guarda tus impertinencias y cierra tu boca de hablantín deslenguado. ¿No ves que los magos no deben pensar cuando están sumergidos? Tú eres como los gringos que exigen que otros piensen por ellos, mientras sus viudas toman fotografías instantáneas y tratan de perpetrar diversos actos de sabotaje. ¿Por qué fuiste tan orgulloso y haragán y cabrón?

Confieso que no supe responder. Galia seguía pesando 140 kilos, además de los aros de plata y su anillo turco con el diamante nublado y los cinco rubíes de la venganza. Se veía radiante y plácida como una abadesa de barriga feliz, pero a pesar de la gordura su carácter seguía siendo endemoniado. Por el movimiento vertical de sus ojos adiviné que iba a decirme un nuevo insulto, y en menos que vuela un pájaro extraje del bolsillo de mi camisa esta pequeña corneta de marfil transparente y me decidí a tocar de rodillas el tango del sueño. Galia se puso de mandíbulas azules y desató unos truenos de cadera que nadie le conocía.

—Me haces gozar y sufrir, pergenio, me das envidia —dijo mirándome con humildad y se durmió poco a poco.

Al fondo del subterráneo seguía hundiéndose Richardini en un inmenso huevo de oro sintético con sus ojos celestes y su nariz que se había vuelto mucho más filuda que en el verano de 1947, cuando conoció a Galia frente al Hotel Arosa de Madrid: sus patillas ya perdieron el color tabaco y su barba se mantiene azul.

Al oír la música del sueño despertó furibundo como una gallina que viene saliendo por un tubo estrecho y húmedo.

—¡Líbrame de Galia y su puñal de fuego! —dijo el mago en tono de súplica y se mordió los labios—. A ella no le importa mi amor por el hombre y está dispuesta a matarme de cuatro cuchilladas cuando venga la noche.

—¡Así matan las víboras! —dije por decir algo—. ¡Así matan las víboras!

—¡No lo repitas, puerco verde, macuspia mandragorera! —amenazó Richardini con su voz de pito dulzón y salvaje, y un gesto profundo y oscuro que me hizo perder pie y caí hacia atrás como un enfermo de lepra—. Lo que has dicho te costará la vida.

Entonces me puse a soplar mi corneta que era como un atanor antiguo y se armó la bullaranga más bulliciosa del mundo cuando vi que al mago se le retorcía el cuello y le iba creciendo pelo tan abundantemente como la cabellera de Absalón, y le temblaba la cabeza desde la base del músculo trapecio a la duramadre. Quise decirle que yo lo iba a defender del huracán llamado Galia, pero Richardini no fue capaz de oírme. Con un rictus y un juego de manos traté de dibujar en el aire el símbolo del puñal de fuego, y sin embargo fue inútil porque el mago creyó que mis intenciones pertenecían al reino de la contramagia y comenzó a chillar como un becerro loco.

—Cálmese —le dije—: ¿no ve que pueden escucharlo?

—¡Aquí en mi Cueva mando yo! —dijo Richardini con soberbia—. ¡Y al que no le guste que se mande cambiar! Bombay no se ha hecho para los cortos de corazón, y menos para los que todavía tienen las orejas vírgenes.

—No me interprete mal —dije—: lo único...

—¿En qué piensas?

—En nadie. Sólo pienso que la comedia es parte del

tango atroz que nadie ha sido todavía.

—No se te entiende ninguna cosa —dijo Galia suspirando como una sonámbula, y volvió a dormirse.

—Eres un fracaso, la encarnación del mal del mundo —suspiró el mago mirándome a los labios.

Viviré fúlmine si no consigo entretenerlo de algún modo: es el mago más desconcertante que he conocido en mi vida. Y me fui arrodillando y empecé a silbar como una flauta chimú o una cabra mochica, y después se vino a mis ojos el lamento del bandoneón de arrabal y la boca se me hizo fuelle, y en eso estaba cayéndome de puro gusto cuando por detrás del viejo bargueño de cedro vi venir a Galia con el arma en la mano.

—¡Detente, víbora! —le dije.

Pero la domadora ya había levantado su cuchillo desbullador y lo estaba hundiendo por segunda vez en el cuello del Desventurado, y desde el fondo del tremedal se oía el tango que nadie nunca fue, y la duda corriendo.

Al tata Carreño, en el Roland Bar de Valparaíso

De los Caballeros del Rey Carreño es este modo de mover el cuello como si toda cápita sin hueso fuese, a estribor, sin ínfulas, a babor con locura. *Vengo del mar, señorías, en ayuno,* y el tacto de sus muñecas al fusionar y cercenar los tragos, tic, tic, me desconcierta y me espanta. Pero el estilo es usted, tata Carreño, ningún valor de cambio ni por gamba, quina, luca. Enséñeles que por amateur, sólo por amateur.

Cuestión de arte, Carreño, déle déle y ésa su melancolía que le viene y le baja por unos cortes tras otros, unas fintas, y así la cuña sobre la que al fin baila y tiembla el viejo Roland Bar, no va más de ser su modus crudo, tata, sus maniacas muñecas.

Los heroicos

No hay caballo que por firme soporte tanto peso muerto: los heroicos se acaban. Y no es que sea un renuncio de cabalgaduras: el oro no domeñado ni limado vuelve a barro. La mucha historia termina por ajar a sus héroes. Las patas traseras se acalambran, los relinchos se secan, las ancas ya sucumben.

A pellejo vamos, a pellejo, y éste parece el grito de guerra: que los otros vengan, los que montan de pellejo a pellejo, aquellos que rajan el barro y sin piel salen del fondo, aquellos que apuran el drama y por ventura dan la orden.

El látigo sobre el tocador

Recordad que todos los contumaces y también los contagiados de bulimia que por detrás de sus sayos den escape a incisivos y caninos y rienda a sus lenguas y a sus gulas, serán condenados a ir muriendo con letargo de hemorragias alvinas, irracionales como el sentimiento de culpa.

Inmanentes y falaces en vuestro ayuno pero gozosos, reconocéis tener una máxima capacidad de crimen con otras carnes.

Siempre iniciados, sois libertinos como aquellos que dejan sus látigos sobre el tocador, seguros de que el Marqués de Sade ha reducido al carcelero y huye de Vincennes, lúbrico, con su rabo en rebelión.

El báculo

¿De qué te sirve el báculo si eres como Bonaparte? Pero Emilio maligno, colifino, sangriento, tus alas se derriten, ya no te irás al cielo.

Pronostico para ti una muerte infecunda bajo las uñas del águila, y tus presbíteros están llorando y los laicos se enfiestan.

Cuchillo sobre el agua

Como Sísifo trepo por tu sangre, hija del río Mapocho que apenas yo conozco. Traigo el dictamen fiscal de desencadenar tu claustro y hacer que narre hasta el confín tu vieja lengua.

El Rey me exige tu versión.

Cuenta las veces, descífralas, di que cojeando de deseo me hundí de boca en un repliegue de tu ombligo.

Madre mía, no da visa el Imperio si tú no testimonias. Eres el único testigo que aún vive, y eso me consta. Nadie avalará mi porvenir de Sísifo si tus aguas que corren y me encierran se quedan en silencio.

La posesión de tu imagen, hija del río que habla, me exigen los jueces que furiosos ya tiran de la soga. Yo siento aquí en el cuello que mi vida se nubla: me zafo y nado hasta tu orilla seca pero no hay nadie, ni una sola roca para este inútil siervo.

Entonces, en un golpe de audacia yo enfundo mi locura.

Destierro

Desde aquí vemos cómo te arrastras sobre esa espuma teñida en sangre, y las huellas de las tortugas que como tú llegaron muy viejas al océano buscando un lugar tranquilo donde vivir.

Allá abajo, en medio de esas arenas que todavía te dominan y esas pulgas de mar que te muerden los tobillos, tú eres un pájaro bobo desbocado, un lobo ciego, un toro herido que despierta en nosotros toda nuestra conmiseración, uno de los nuestros que revienta con las olas y se queda moribundo sobre la espuma roja de la playa, entre las patas de los cangrejos gigantes que te miran con lentitud y rencor.

La locura de Augusto

Razona, César, que eres tú el embrujado, y saca luego a remate, viperina, esa lengua tuya que delira.

Tu resinoso psiquismo secó su vianda y ya no hay río que refleje, poseso, tu locura entre las aguas.

Las hachas contra el viento que tú mandas se vuelven y te trozan, paso a paso: es el hachazo del recuerdo que con sus filos te atormenta.

No hay espíritu benigno que por pura combustión te rapte del Infierno: condenado estás, César, como un ofidio, a reptar por el resto de tu calva y de tus días, orbitando con tus ojos sin razón alrededor de esta luna amarilla.

A la mujer del César

Calpurnia, no sólo has de ser mujer mía sino parecerlo,

y aceptar con el velo en alto que el inédito camino de pepitas de sangre inaugurado por ti, y que te une, dadivosa, a este hilo masculino que como el olvido descose tu himen, no urgirá jamás de cesarismos y aplicará su tutoría.

La rebelión de este himeneo, su sencillez, su falta de postura, nacen de la ninguna táctica con que el amor todavía se navaja. Y aquella sangre tuya en pepas, como leche descremada, ofrece una pura memorización.

Nada sino la estrategia y la hiperstenia cayendo de la yema de mis dedos y la repetición del corte de cuchillo sobre esas zonas ya cauterizadas, pueden hacer de este quid una Arcadia colectiva.

Del fetichismo de ocultar secretos

Del fetichismo de ocultar secretos en un cofre y equilibrarlos inútilmente como a un loro sobre un trípode, cabeceando de dolor y perdida mi ballesta me caigo entre felpas y flequillos y bostezos bestiales hacia el infierno de esta tierra, en avances y retrocesos de currículum e instintos de conservación, y guerras que se filman y proyectan contra mí, ad infinitum.

Sitiado y esclavo como Tituba de la potencia del enemigo, así llevo mi entablillada psiquis frente a la prosa de Caín.

Huelga que la esperanza es el retorno de Arcadio, padre mío que se monta en el carrete y sube con su espada bajo el bulto. Por ahora sólo basta con que muerto te mire como a través de un espejo de dentista, y se pudra, César, tu agricultura funesta.

La canción del Swami Dewan

Sólo puedo mirarte con los ojos tapados: mi visión no te da epifanía, no serás una imagen. Por la ventanilla del avión de Air India te diviso, oscura, ardiente como un velo. No abro los ojos desde que el automóvil me trajo al aeropuerto porque tenía miedo de verte tan cerca, pero el avión ya se va. Ayunaré durante el viaje y pensaré sólo en ti. No te acerques y aléjate. Sólo difusa eres eterna.

Tienes la potestad de un estadio olímpico

No como Modugno que tal vez te miente, heroica te miro de espaldas y por el espejo tienes la potestad de un estadio olímpico, su llama recurrente, la pista de cenizas como uno de los ombligos de Buda, el de color malva, y el eco de los supliciados del Circo Romano donde aún fluye la cólera de león contra leona, y me pregunto si la del espejo eres tú y te deseo con un deseo nuevo que me atormenta.

Ex rey

El amor parece haberse ido y sin embargo el placer sigue rotundo. Y cuando voy a escribir que la voz de la bella *cuando se fue nada dejó que no doliera,* siento que no estamos lejos y por detrás tú vienes y me alcanzas, y velocísima y turbulenta me destronas.

Catarina

> *Pelo quebradizo, piel reseca,*
> *andrajosos senos, en una sola*
> *visión.*
>
> ALBERTO GIRRI

A Catarina le fallaron los ácidos y fue poniéndose blanca como los ojos de los ciegos. Se le desgajó la cola, la lengua, y en la última semana padecía de oftalmia, arritmia, cretinismo, seborrea, sordomudez, células secas, cuando fue sorprendida por mí sollozando como un caballo al pie de sus cosméticos, sus anilinas, sus lápices de carbón, sus esencias, y al verme tiró de su correa al cuello y no alcanzó a sufrir, temblando hacia el exilio.

Las hormigas

Le crece su papada y se hinca, llora y se pone a empollar huevillos de seborrea con los dedos, y espera que las hormigas que huyen en procesión —y enloquecen de risa a su hijo de teta como a un brahmán—, se vuelvan y le chupen los azúcares, lo muerdan, lo hagan fermentar y lo trasladen en huesos, de una carne a otra, libre de grasas.

Los borrachos

Mal síntoma el que mi mujer delate a los borrachos por teléfono, tirana política y muy injusta prosa la suya de hacer que en esta cuadra haya sólo barbillas depiladas, se paseen filibertos y domitilas, profesores larguiruchos enfermos de tenia, y campanudas guagüas de guardar.

Es cierto que detrás de gordos sombreros se despiojan y hacen señas, se les descorre el arestín por orejas y narices, y maquillados de muerte roban tarros de basura, huyen y reaparecen penando sobre piedras.

El más viejo de ellos tiene canas y es muy sordo. En cuclillas se arrima junto a mí y me llora como un feto. Da alegría verlo tan borracho y rosado dando coces, orgulloso de su dolor, sereno bajo su hipantropía.

Gorduras

Verás más cerca la tumba cada día, si más y más barriga, jeta cruel y gran papada. La muda de tus sueños, la engordada, también atrofia su condición de ave del cielo, se quema por fofa y fofa y carboniza. Tened miedo por eso de tu ombligo: ese bufón. Que no se colme de gorduras, mito vacuno, que no se monarquice como Dios. Él hará que tu ánima se reencarne, ojo de ley, o sea estiércol. Capa de grasa tuya sin remedio: ¡deja por fin tus babas en el plato!

Pájaro bobo

Véanlo negro de inocencia a ese Pájaro Bobo, lustroso como las rodillas de la Virgen del Carmelo, la Invasora.

Véanlo internarse mar adentro tirando aletazos de ciego, bobo loco, y la lluvia se descarga sobre la Caleta del Membrillo y te persigue y te echa el cerco.

Entonces los cuervos bajan, se agarran al roquerío y afilan sus garras y colmillos: véanlos, negros de crueldad, y te caen encima, pobre Pájaro Bobo, lustroso como San Martín de Porres.

Vean cómo se lo van comiendo por los ojos, a picotazos sobre su alma de pejeperro, negra de inocencia como la espuma.

La boca del lobo

Ahí afuera no está el mar, sólo las hojas de los árboles que se agitan y nos ahogan como las olas furiosas del mar. Ahí afuera hay una boca de lobo que sopla un viento fresco y mortal. Hay un acantilado, un bañista ciego y una playa de arena negra y movediza. Pero no se ve, no se vislumbra el mar. Sólo se agitan y se revuelcan y caen a tierra, como los ojos del toro al pie de su verdugo, las hojas de estos árboles que refrescan y protegen la boca del lobo.

Pascuales

Empiezo a creer en el Viejo Pascual, en las hormigas que dejo pasar por mi lado —juro no pisarlas nunca más— y en las cucarachas negras que reventé en sangre con sus almas pastosas y blancas.

Vuelvo a creer en la laucha que murió de frío y fue husmeada y llorada por los perros.

Me alegro de ver otros pájaros mucho más chicos y de vida difícil: aquí viene mi hijo que ladra y aúlla como la leche hirviendo.

Macho

Porque fuiste testículo de toro ¡te honro! ¡te honro!, y te ofrezco esta hija mía para que ayuntes y arranques de nuestra sangre toda impureza humana que aún quede y se resista.

Una novela que termina

Petra chupó tanta sangre, que exigió de Rufo, el diezmado, todos los juegos del connubio más audaz. Me siento espléndida y gamberra como una mujer de alto cuello: ¡gambusina la concupiscencia! Rufo miraba a la vanidosa desde el fondo de su colcha verde, achampañado y turnio, furtivamente tonto, con las costillas calientes. Estoy hundido junto al caballo blanco y dos gansos cojos, bajo estos fresnos cuyo olor desata en mí las rabias de un galope moribundo, y empiezo a toser como los condenados a cadena perpetua. Tengo miedo del canallesco bandoneón y voló de la cama queriendo pisar tierra: ya estoy en el mundo pero el duende viene por detrás y me da un golpe que me hace caer hacia dentro, y cuando voy hundiéndome alcanzo a gritar ¡Viva Macedonio! Entonces el duende salta sobre un biombo de alerce y desaparece entre las nubes. Sube la noche y todo se vuelve nuevo bajo el sol: veo a Petra con su vientre de paloma capuchina, la vi como al becerro de los fatuos, y presiento lo que ha de venir. Ella se pone el corset de cuero, se abotona con furia, cambia de la desidia a la lujuria y se echa al medio de la pista murmurando el tema de la balada para un loco y la milonga carrieguera y el poema valseado y la toccata rea y el miserere canyengue, hasta que desciende a los infiernos, y allí canta su conversión a la vida oscura.

Rufo la mira bailar: tal vez no debí exigirle que se desnudara sin asco y sin sigilo, y Petra ya no llora porque está gozando como la condenada que se estremece bailando el baile del tormento: te como, Rufo, te muerdo, te turbo como a un chincol poblano y luego, ya bobo, te doy el último colmillazo. ¡No lo hagas, Petra, ten piedad! dice Rufo escondiéndose detrás del biombo. Desde aquí te veo garandumba con la barriga lejos de todo sentido común. ¿Por qué eres así? ¿Por qué te andas criminando? Pero Petra estaba ciega y no escucha las súplicas de Rufo y sigue con sus caderas torturantes y sus gestos de madama de la pasión. Estoy preso, solloza Rufo, y se acuerda del chiflido animal y da un pitazo soberbio que descoyunta la unidad de toda la escena: por detrás mío vi venir al duende convertido en la perra Claudina y ella gritó ¡quítate perra loca porque me estás encanallando!, pero Claudina no decía nada y se rascaba la cola con su colmillito menor: vengo a hablarte de filosofía. ¡Las perras no hablan! se enfureció Petra y desde el fondo de su liga celeste desenvainó el corvo con empuñadura de marfil y siete estrías, lanzándolo contra el cuello de Claudina que con astucia adivinó la dirección del vuelo y fue a ocultarse bajo una consola rota, cuando el filo se hundía en las costillas de un ciervo de dos cabezas y saltaba el líquido de olor francés y el ambiente de la sala era una coda irrespirable.

Al fin pude ver cómo a Petra se le volvían las mejillas del tono de la genciana y desde lejos toqué su frío deslizándose por la curvatura de su espalda, hasta que se le congelaron los tobillos y en sus ojos vi los ojos de la muerta mimosa que de nadie quiso ser: tus ojos verdes han perdido la batalla, dijo Rufo, y Petra se arrodilló a los pies de Claudina y le pidió el perdón de los perros porque jamás nunca, y esta noche siento que es absurdo vivir de esta manera.

Pequeño tango de Petra desnudándose

Rufo vio a Petra tan desamparada como un ápterix. Llevaba el lomo cubierto de plumas cerdosas y los ojos verdes de absoluta pena, y el pico como el de Juana y el alma rudimentaria.

Groseramente, Petra se desboca y pierde pecho y pie. Llora tres llantos del color de las grullas y herida hace el juego agudo del huérfano amarillo: a picotazos con su pico de serpentaria como el de Juana, le chupa a Rufo la sangre alegre cuando el varón la observa desde el fin y le pide:

—Desnúdate Petra, sin asco, sin sigilo, y ya no seas más una gregaria.

Epílogo de Petra

Petra se tomó febrilmente el vaso de chupilca, dio tres vueltas de carnero sin tocar tierra, y sintió cómo su corvo se le hundía entre los pechos y el brocamantón de color vino por debajito del que respira ya muy débil.

El arrepentimiento de Rufo

Rufo se baja del canelo cubierto con los afeites de Pillán y los signos de la discordia y la tristeza, avanza hacia la tumba de Petra y allí abre su Biblia y lee sollozando:

No a todo alcanza Amor pues que no puede
Romper el gajo con que muerte toca.
Mas poco Muerte puede
Si en corazón de Amor su miedo muere.
Mas poco Muerte puede, pues no puede
Entrar su miedo en pecho donde Amor.
Que muerte rige a Vida; Amor a Muerte.

Acta est fabula

—¿Tú también, Rufo?

El último desfile

Con las pestañas púrpuras y su vestido corto de encaje blanco, el negro Tom dio un aullido en la Sexta Avenida: ¡Yo soy la reina Virginia, yo soy la reina Virginia!, y el bombo de plata sonó cuatro veces. Una guaripola dorada voló y fue a caer en la mano derecha de un nenúfar disfrazado de querubín, que sobre su pecho llevaba una flor de cactus con el siguiente lema: *Si ella te quiere besar por segunda vez, ¡escapa!* A su lado venían dos lésbicas quisquillosas arrastrándose y llorando no se sabe si de pena, de felicidad o de orgullo. Parcas de cejas y con los pubis rasurados bajo cinturones falsos, jubilosas y castas, y en sus labios el suave carmín. ¡Somos las anémonas, somos las princesas, únete a nosotras, ármate de valor y apoya con tu sangre, mujer-cítara, esta revolución que han preparado las hijas de Lesbos!

Ann y Mary lucían cadenitas de oro en los tobillos y en sus empeines el olor del incienso. Las botas azules de Ann no alcanzaban a cubrir sus muslos, no cortaban su ritmo respiratorio y su ombligo seguía siendo, lo sería perpetuamente, trofeo juvenil, codiciado fruto. Mary no tenía botas y los dedos de sus pies sobresalían por su largura como los dedos de algún patagón voraz, de algún habitante de las planicies: oh esos dedos para el desierto —suspiró Ann—, oh esos dedos para la estepa.

—¡Florece donde te plantaron! —gritaba Ann entre los diez mil que venían semidesnudos, en fila india, y con el fuego de los hipnotizados.

La reina Virginia encabezaba el desfile y su adiposa cadera relumbrante, aunque leve, era una cadera de carne en celo.

Pasaban tigres con pestañas postizas, pelucas de pelo hindú, taparrabos de raso, calzón-campana, cueros de búfalo, cuernos de búfalo, jubón, kimono de piel de conejo, tiritas de rata (un observador sacó su pistola y disparó desde la ventanilla del Banco de Comercio: la bala fue a hundirse en el ombligo de Mary cuando Ann la besaba en los labios sin elegancia y estaba a punto de morderle el lóbulo de la oreja derecha), píldoras para la comezón de la mente y el romadizo de heno, yerbas volátiles, colas de iguana, recetas contra el cáncer del útero, profilácticos embadurnados con miel de alcayota, esencias de frambuesa, recibos de impuesto, pañuelos morados, bigotes lacios. Algunos iban en camilla o en silla de ruedas, y atrás venía la ambulancia con su enfermero de cejas amarillas que sólo miraba por el rabo del ojo izquierdo y hacía muecas de dolor como si estuviera sufriendo por todos los vivos y los muertos. Y más atrás, sobre ataúd de piedra, dos niñas arrullaban a Joe Colombo, el jefe de la banda Profaci que se retorcía cantando una balada antigua.

—Ricardito —dijo Joe con ternura.

Y Ricardito le fue poniendo municiones en el cuerpo, desde abajo, en la región lumbar y junto al hueso de la cola. Ricardito se confesaba con Joe Colombo y le pedía misericordia por tanto dolor que yo les he causado, y Colombo le dice no tienes perdón de Dios porque eres un hijo de hiena mucho más pestilente y malvado que mi padre: como él, tú morirás al borde del soponcio.

La voz de Colombo fue debilitándose a medida que Ricardito recibía todo el peso del rey de la maffia. Su grupa pasó del pálido al sepia. Joe dijo ¡Ricardito, te odio, tú y yo somos culpables, aunque tú administras el aparato electrónico que cuida tu reputación: eres un falsario, un cabrón de levita, y me paso tus vuelos por debajo del trígono!

Joe Colombo no alcanzó a terminar su elegía y estaba otra vez chicoteando a Ricardito con fobia purificadora. Estás loco, Joe, ¿qué me haces, por qué tus ojos se han vuelto del color de las flores del estramonio? Cállate y soporta este castigo que en el fondo es una dádiva, pues no hay castigo que esté a tu altura y tu culpa es el resumidero de todas las culpas. Pero ¿por qué me haces sufrir así, Joe? Yo no te hago sufrir: estoy tratando de limpiarte, pero es inútil.

A diez metros venía el carro alegórico forrado en cachemira salvaje, con esta consigna: *¡Muerte eterna a Pierre Cardin y vida eterna a la piel de los osos homosexuales, a los deseos de la mujer tribal, a los deseos del hombre tribal! ¡Afuera los taparrabos!*

Una desbordante mucama daba a mamar a la muchacha de veinte años llamada Gretel, con trenzas rubias y calcetines rojos que le cubrían sus repugnantes rodillas. La leche de olor confuso caía por los labios de la colegiala que suspira como los griegos apretando su boca con la desesperación del que va a morir. Estoy loca, soy el gavilán envenenado.

A los pies del carro alegórico, entre escarabajos, Roscoe se besaba con Maxwell. Lo hacían con tal espanto, que el comerciante en pieles de la India —su pecho robusto y sin corpiño— se dirigió a ellos y les dijo:

—Vamos, muchachos: ¿no les parece que están arruinando nuestra imagen?

Gretel chilló desde el carro:

—¿Y a usted qué le importa? Húndase en sus negocios y déjelos que hagan lo que quieran.

Roscoe agitó sus cejas en un gesto de indiferencia y Maxwell lo besó una vez más.

La mucama que seguía dando de mamar a Gretel cerró su blusa y su seno desapareció detrás del nylon como un conejo. El comerciante estaba temblando. La mucama lo acosó y Gretel le dijo váyase de este país, váyase a la mierda, por soplón. Gretel quiso arrancarse las uñas y lanzó un SOS:

—¡Viva la guerra de Vietnam!

—¿Te has vuelto loca, hasta que se quemen los ángeles?

—¿Quién habla?

—¿Te has vuelto loca, hasta matar la idea?

—¡Quién habla!

Ricardito quiere librarse de los brazos de Joe Colombo: no lo niego, Joe, eres demasiado vehemente. Ni en el Morocco vi alguna vez unos músculos como los tuyos.

El desfile está a cuarenta y cinco metros del Central Park y las parejas se abrazan, se persiguen, se tumban sobre el asfalto. La reina Virginia es la primera en llegar al césped: ¡orgullo, orgullo, ya hemos llegado! El negro Tom se quita el vestido de encaje y queda desnudo, menos los vellos del pubis que van cubiertos por un bikini del mismo color de su piel.

—¡Es un placer social! —solloza la reina Virginia—. ¡Aquí culmina nuestra Semana del Orgullo!

—¡Reinaaaaaaaa! —gritan los diez mil manifestantes que llegan en fila india hasta el Central Park, donde ella recibe los abrazos y los besos.

El césped arde y sobre la arena quedaron las píldoras, las jeringas, las coronas de flores, las municiones, los corpiños, los pantaloncitos calientes de satín.

Ahora es John el que viene corriendo, da un salto y se sube a la tapa del ataúd celeste y besa a Roscoe en el torso desnudo:

—No me dejes, Roscoe, no me abandones jamás.

La reina Virginia observa todo con tristeza y quiere decir algo pero se calla, y sólo se deja acariciar como una perra sobre el césped húmedo bajo los rayos del sol.

La última carta

Los dioses nos van hundiendo las fechas, los caminos, los días ¿que veremos arder?, y aún no te puedo encontrar. Como tú, yo escribo cartas y no quiero extraviarme, como un deudo, en los lutos del sistema telefónico.

Por eso Nora habla por mí, y todavía mantiene una nonata esperanza en la ciencia telefónica y los teléfonos la respetan y la quieren y así sucede desde siempre, porque cuando fuimos niños ella jugaba con un teléfono pequeñito y yo la veía con aquel aparato como un camarón o la trompa de un elefante mortal, y no puedo entender lo que allí estaba sucediendo.

De Chile ya tú sabes. Hoy anduve con las bibliografías ocultas. ¿Quién sabe de mis oscuros libros? Venid a ver la sangre, porque mañana sigue siendo martes. ¿Desde cuándo vives junto al lago de Chapultepec?

En el último día de Pompeya, y *coram populo,* te abrazo con algo de desidia, aunque rabioso de ganas de tenerte.

Tuyo.

La pareja humana

1

Algún día nos vamos a morir de la risa en el fondo de dos ánforas fileteadas de oro, desde donde podremos ver el baile de nuestros espíritus, más de yegua salvaje que de animal humano.

2

Este cuerpo mío que termina de morirse de la risa te hace entrega oficial de su alma para que la transportes, Gran Can, al país de los muertos felices. Tú que sabes el camino, átame a tu rabo y llévame.

Santiago de Chile, México, 1969-1977.

ÍNDICE

IMPRESO Y HECHO EN MÉXICO
PRINTED AND MADE IN MEXICO
EN LOS TALLERES DE
EDITORIAL GALACHE, S. A.
PRIVADA DEL DR. MÁRQUEZ, 81
MÉXICO 7, D. F.
EDICIÓN DE 3 000 EJEMPLARES
Y SOBRANTES PARA REPOSICIÓN
23-x-1977

Nº 0429